FILHOS QUE VENCEM GIGANTES

BILL JOHNSON

E BENI JOHNSON

FILHOS QUE VENCEM GIGANTES

CRIE SEUS FILHOS PARA UM DESTINO VITORIOSO

Editora Vida
Rua Conde de Sarzedas, 246 — Liberdade
CEP 01512-070 — São Paulo, SP
Tel.: 0 xx 11 2618 7000
atendimento@editoravida.com.br
www.editoravida.com.br
@editora_vida /editoravida

FILHOS QUE VENCEM GIGANTES

Originalmente publicado nos EUA
com o título *Raising Giant-Killers*

Todas as citações bíblicas e de terceiros foram adaptadas segundo o Acordo Ortográfico da Língua Portuguesa, assinado em 1990, em vigor desde janeiro de 2009.

■

As opiniões expressas nesta obra refletem o ponto de vista de seus autores e não são necessariamente equivalentes às da Editora Vida ou de sua equipe editorial.

Os nomes das pessoas citadas na obra foram alterados nos casos em que poderia surgir alguma situação embaraçosa.

Todos os grifos são do autor, exceto os indicados.

Editor responsável: Gisele Romão da Cruz
Editor-assistente: Marcelo Martins
Tradução: Maria Emília de Oliveira
Revisão de tradução: Sônia Freire Lula Almeida
Revisão de provas: Josemar de Souza Pinto
Diagramação: Claudia Fatel Lino
Capa: Arte Vida

1. edição: maio 2019
1. reimp.: ago. 2021
2. reimp.: out. 2022
3. reimp.: jul. 2024

Dados Internacionais de Catalogação na Publicação (CIP)
(Câmara Brasileira do Livro, SP, Brasil)

Johnson, Bill
Filhos que vencem gigantes : crie seus filhos para um destino vitorioso / Bill Johnson, Beni Johnson ; tradução Maria Emília de Oliveira. -- São Paulo : Editora Vida, 2019.

Título original: *Raising Giant-Killers.*
ISBN 978-85-3830-390-9

1. Criação de filhos - Aspectos religiosos - Cristianismo 2. Mudança de hábitos - Aspectos religiosos - Cristianismo 3. Pais - Aspectos religiosos - Cristianismo I. Johnson, Beni. II. Título.

19-23800 CDD-248.845

Índice para catálogo sistemático:

1. Pais e filhos : Guias de vida : Cristianismo 248.845
Iolanda Rodrigues Biode - Bibliotecária - CRB-8/10014

Esta obra foi composta em *Adobe Garamond Pro*
e impressa por Promove Artes Gráficas sobre papel
Polen Bold 70 g/m² para Editora Vida.

Dedicamos este livro aos nossos três filhos:
ERIC, BRIAN e LEAH.
Vocês são um sonho que se transformou em realidade.
O privilégio de ser pais de vocês é uma honra inigualável.
Nosso amor por vocês é indescritível, e somos gratos pelo papel que exercem como pais, líderes e transformadores do mundo.
Enaltecemos vocês com entusiasmo. E agora observamos e oramos ao vê-los criar nossos onze netos com muito amor.
Vocês são a nossa maior alegria na vida.

SUMÁRIO

AGRADECIMENTOS

MIL AGRADECIMENTOS AOS MEUS COLABORADORES — Michael e Abigail. A ajuda constante de vocês é inestimável por tornar possível a publicação de livros como este.

E mil agradecimentos a Pam Spinosi — não há palavras para descrever sua ajuda neste livro. O seu talento como editora e os seus conselhos no decorrer do processo provaram mais uma vez ter um valor inigualável. Obrigado!

INTRODUÇÃO

Filhos com propósito divino

Escrevemos este livro com base na nossa experiência. Dedicamo-nos à missão de ser pais com o sonho de que poderíamos apreciar cada vez mais as fases da vida dos nossos filhos. Sentimos também que não nos sujeitaríamos à negatividade encontrada nos lares comumente nem seríamos influenciados por ela. Pela graça de Deus, vimos esse sonho se tornar realidade.

Há muitos livros maravilhosos sobre a criação de filhos, escritos por autores e líderes extremamente competentes. Enaltecemos todos, porque precisamos de toda visão e treinamento que pudermos obter para cumprir essa tarefa desafiadora. Este livro, no entanto, não foi escrito para reproduzir esses esforços nem repercutir suas ideias. Ao contrário, esperamos adicionar à sua mensagem uma percepção do privilégio de criar filhos com um propósito divino inabalável. Esta é a nossa paixão: *filhos que vencem gigantes,* capazes de mudar o mundo. Juntos, precisamos alterar o rumo da história do mundo.

Bill e Beni Johnson

1

DAVI, GOLIAS E VOCÊ

A IDEIA DE CRIAR *FILHOS que vencem gigantes* pode parecer uma metáfora violenta demais para alguns e artificial demais para outros. Para mim, no entanto, é uma descrição extremamente meticulosa para pais e mães, pelo menos para aqueles que querem criar filhos com valor eterno.

O salmista descreveu com exatidão esse desafio e privilégio com estas palavras: "Os filhos são herança do SENHOR [...]. Como flechas nas mãos do guerreiro [...]" (Salmos 127.3,4). Essa passagem revela as duas partes principais de ser pai ou mãe — a alegria de receber como presente um filho vindo das mãos de Deus e a séria responsabilidade de preparar a criança para ter uma vida significativa. O pai e a mãe que valorizam o presente que receberam se beneficiam mais de seu impacto.

Nos tempos bíblicos, os arcos, as flechas, as espadas e as lanças eram as armas principais para a guerra. O guerreiro preferia enfrentar o inimigo a distância com uma flecha a ter de combatê-lo corpo a corpo com uma espada ou lança. A questão é que o arco e a flecha eram os instrumentos de guerra preferidos. O guerreiro precisava ter um número suficiente de flechas na aljava se quisesse combater o inimigo, com pouca ou muita confiança. E as flechas tinham de ser testadas e aprovadas, ou seja, precisavam ser totalmente capazes de funcionar de acordo com seu formato.

Esse salmo nos dá uma visão incomum da dose de confiança que os pais possuem na guerra espiritual quando criam os filhos com propósito eterno. Um filho que vive de acordo com seu dom e estrutura vence os poderes das trevas. Esse é um benefício colateral de criar filhos de modo correto. Da mesma forma que os empresários competentes sabem como fazer o dinheiro trabalhar para eles, até enquanto dormem, o mesmo ocorre com a criação dos filhos. O nosso investimento traz um retorno muito tempo depois que os filhos estiverem fora do nosso foco e influência diretos. Criar filhos corretamente proporciona dividendos espirituais para todas as gerações da família, mesmo depois que os filhos forem adultos e saírem de casa.

A versão bíblica *A Mensagem* apresenta Salmos 127.5 desta forma:

> Vocês, pais, são abençoados demais
> quando têm muitos filhos!
> Seus inimigos não terão chance contra vocês:
> serão varridos imediatamente da sua porta.

Talvez seja necessária uma palavra de advertência quanto a este ponto: os filhos não são ferramentas para serem usadas com a finalidade de ganho pessoal. Em certo sentido, eles não são sequer nossos. Foram-nos emprestados por Deus, e a nossa responsabilidade é cuidar corretamente do tesouro de Deus de forma que lhe agrade. O cumprimento correto dessa missão traz benefícios ao longo do tempo e influência sobre a família por muitas gerações.

Nascidos no conflito

Nascemos em uma guerra. Todos nós. Até Adão e Eva receberam a missão de "subjugar" a terra (Gênesis 1.28), o que dá a entender que havia desordem fora do jardim do Éden onde eles moravam. Foi-lhes dada a responsabilidade de administrar e expandir os limites daquele jardim até que a terra toda refletisse sua ordem e beleza.

O Éden era o lugar de paz e beleza perfeitas. Se a terra toda tivesse se tornado semelhante ao jardim, Deus teria recuperado um lugar de caos por meio daqueles feitos à sua imagem, que viviam em relacionamento com ele. Pelo fato de viverem alegremente sob a influência de Deus, eram eles que deveriam governar. E, como tal, receberam a autoridade de Deus como seus representantes.

O pecado de Adão e Eva destruiu o plano de paz e ordem que Deus idealizou para o planeta inteiro. Em vez de subjugar a terra, eles foram subjugados pela serpente, a quem tinham obedecido. Então Jesus, o eterno Filho de Deus, tornou-se homem para realizar em nosso lugar aquilo que não poderíamos realizar. E assim ele é chamado de o *último Adão*. O primeiro Adão trouxe morte ao mundo. O último Adão trouxe vida:

> Se pela transgressão de um só a morte reinou por meio dele, muito mais aqueles que recebem de Deus a imensa provisão da

> graça e a dádiva da justiça reinarão em vida por meio de um único homem, Jesus Cristo (Romanos 5.17).

Jesus derrotou o pecado, o sepulcro e os poderes das trevas em nosso favor. Esse é o contexto no qual todos nós nascemos. Todos nascemos nessa guerra que já foi vencida. Graças a isso, podemos estar confiantes de que fomos posicionados para o triunfo. Jesus foi vitorioso por nós, o que torna possível a nossa vitória. E agora, apesar de ainda estar em guerra, lutamos a partir da vitória. Não para alcançá-la.

Observe a expressão "reinarão em vida por meio de um único homem, Jesus Cristo". Graças a Jesus, os pais e também os filhos vão reinar em vida. Reinar em vida não é reinar sobre pessoas. Não gira em torno de poder, de título ou de posição. Reinar em vida significa que o dinheiro não me controla. Eu o administro para a glória de Deus. O conflito não me controla. Eu controlo a minha reação diante dos problemas de uma forma que represente Jesus do modo mais correto possível. Reinar em vida é parte da herança para todos os que seguem Jesus. É tempo de nos incorporarmos completamente a essa ordem!

Nossa luta

O apóstolo Paulo descreveu a vida cristã normal com estas palavras:

> Pois a nossa luta não é contra seres humanos, mas contra os poderes e autoridades, contra os dominadores deste mundo de trevas, contra as forças espirituais do mal nas regiões celestiais (Efésios 6.12).

Nessa passagem, Paulo aborda as diferentes regiões da influência demoníaca. O fato de termos nascido em uma guerra deve nos ajudar a entender o *motivo* por trás dos muitos conflitos e dificuldades que enfrentamos na vida. O Diabo não conseguiu deter a obra redentora de Jesus e agora tenta macular o efeito daquela obra no modo segundo vivemos. A guerra tem que ver com o nosso lugar com Deus, o Pai, e com a nossa identidade em Cristo.

É importante entender essa realidade espiritual de guerrear pela nossa identidade em Cristo como plataforma para a criação dos filhos. Esse é o contexto no qual os nossos filhos nascem. Sei que pode parecer sinistro, mas é verdade. Por outro lado, é o Cristo vitorioso que nos dá motivo para ter esperança muito acima da ameaça intimidadora das nossas atuais batalhas espirituais. A esperança é o combustível do lar de cada família que vive sob a influência do Espírito de Deus.

A maior notícia sobre a verdadeira guerra espiritual é que ela tem o Diabo como foco. Sei que pode parecer estranho, mas é verdade. Ela está verdadeiramente focada em Jesus, o Filho de Deus. As nossas maiores vitórias resultam da celebração da bondade e presença dele. A glorificação a Deus talvez não pareça guerra para muitas pessoas, mas quase sempre ela é guerra em sua forma mais pura. Se, em qualquer momento, o foco da oração ou da adoração for o de lutar contra o Diabo, ela deixará de ser oração ou adoração.

O salmista escreveu: "Que Deus se levante! Sejam espalhados os seus inimigos [...]" (Salmos 68.1). Deus se levanta em louvor e, por conseguinte, os inimigos se espalham. E de novo: "Altos louvores estejam em seus lábios e uma espada de dois gumes em suas mãos" (149.6). Aqui a vitória se revela quando celebramos e honramos a Deus com louvor. O nosso louvor causa um efeito ao nosso redor, como se estivéssemos empunhando uma espada de dois gumes. A minha esposa trata dessa mistura de assuntos de forma brilhante em seu livro *The Happy Intercessor*.[1]

O menino pastor

A história bíblica de Davi e Golias se tornou tão conhecida na sociedade que o nome deles é usado muitas vezes para descrever alguém que vence probabilidades ínfimas nos esportes, nos negócios ou na política. Temos visto empresas familiares de pequeno porte enfrentarem uma grande corporação e conseguirem uma vitória decisiva nos tribunais, vencendo todas as perspectivas em contrário. Histórias semelhantes existem no mundo esportivo, quando um ilustre desconhecido vence um atleta famoso ou um time inexpressivo vence outro muito superior a ele na opinião de todos. Já vimos um político desconhecido que aparentemente veio do nada derrotar um oponente famoso ou altamente favorecido, o que muito surpreende a imprensa e os especialistas em política. Em todas essas histórias, vemos manchetes com este efeito: "Davi vence Golias de novo".

Embora esses usos da história sejam corretos até certo ponto, a narrativa verdadeira do conflito entre Davi e Golias é muito maior. Antes de tudo, quero lembrar os leitores de que Davi era um menino pastor que se apresentou com coragem, apesar da história de que Israel temia gigantes.

[1] Johnson, Beni. Destiny Image, 2009. [**O intercessor feliz**. Brasília, DF: Chara, 2017.]

Não há nenhum motivo para acreditar que Davi foi criado para mudar o mundo. O pai dele praticamente o esqueceu quando o profeta Samuel foi escolher um filho de Jessé para ser rei. Todos os outros filhos pareciam ser uma escolha mais lógica que o caçula. Eram mais altos, mais brilhantes e mais favorecidos pelo pai. Mas o que é esquecido por alguns é quase sempre apreciado e escolhido por Deus. Um filho ilegítimo é um lembrete físico de que somente na economia de Deus pode surgir uma vida resultante do pecado. Como Grande Redentor, Deus é especialista em valorizar aquilo que as pessoas rejeitam. Seja qual for o início da história de Davi, ele superou todas as probabilidades e se tornou importante por meio do toque soberano de Deus em sua vida.

Quando se apresentou para lutar com Golias, Davi estava confrontando a própria história de Israel. Em primeiro lugar, foi o medo de gigantes que impediu o povo de entrar na terra prometida. E agora um menino demonstra apenas desprezo e nada mais por aquele gigante que escarnece dos exércitos do Deus vivo. Essa atitude é algo que ninguém é capaz de fingir. Davi sentiu repulsa por aquele que estava blasfemando o nome do Senhor. Quando andamos com Deus como Davi andou, é normal e saudável querer zelar pelo nome dele.

Como tudo começou

A primeira geração dos israelitas não entrou na terra prometida por medo dos gigantes. Doze espias entraram na terra para ver o que estavam prestes a herdar. Dez deles voltaram com muito medo, pensando que certamente morreriam se entrassem em uma batalha contra os habitantes daquela terra. O medo de gigantes manteve o povo de Deus longe do que ele lhes prometera. Os dez espias relataram o seguinte:

> Mas os homens que tinham ido com ele disseram: "*Não podemos* atacar aquele povo; é mais forte do que nós". E espalharam entre os israelitas um relatório negativo acerca daquela terra. Disseram: "A terra para a qual fomos em missão de reconhecimento devora os que nela vivem. *Todos os que vimos são de grande estatura.* Vimos também os gigantes, os descendentes de Enaque, *diante de quem parecíamos gafanhotos,* a nós e a eles" (Números 13.31-33).

A última declaração deles é reveladora: "Parecíamos gafanhotos, a nós". Esse é realmente um fato esclarecedor a respeito do povo que recebera uma promessa extraordinária de Deus. Eles viram o tamanho do inimigo, e viram as limitações de seu próprio tamanho e treinamento. A parte trágica é que eles perderam de vista o tamanho de seu Deus e o tamanho da promessa que viera dele. Isso ocorre sempre que vemos as promessas de Deus como se fossem nossas, em vez de vê-las como Deus cumprindo seus propósitos no mundo. Ele responde às nossas orações e cumpre suas promessas por amor de seu nome.

A ideia que os israelitas e os dez espias tiveram por causa da promessa foi substituída por uma visão dos gigantes. Ver qualquer parte da nossa vida, seja do passado, seja do presente, seja do futuro, sem Deus no centro é ver uma mentira. No entanto, dois dos 12 espias se mostraram entusiasmados pela oportunidade de vencer aqueles que os outros temiam. Quarenta anos depois, chegou a hora de Israel tentar de novo receber a promessa de Deus. Curiosamente, no momento em que a terra seria dividida de acordo com as tribos e famílias, Calebe, um dos dois espias fiéis, pediu a Josué o monte onde os gigantes viviam. *A cidade principal do medo deles* foi sua herança. Calebe pediu o privilégio de derrotá-los! Adoro essa parte da história. Ele teve de esperar quarenta anos para receber sua promessa em razão do medo causado pelo relatório negativo que os dez espias haviam dado. A descrença e o medo são contagiosos. Mas Calebe não foi contagiado por aquela doença. Sua fé foi preservada e aumentada, até chegar o momento de receber a herança que lhe cabia. Calebe pediu que a fortaleza dos gigantes fosse sua casa. Brilhante!

Entendo que essa história não está diretamente ligada à criação de filhos, mas, em certo sentido, está. Essa é a formação da atitude de um reino. Gira em torno de uma vida de coragem que honra a Deus. Provocar uma atitude corajosa e viver de acordo com ela é o que os pais e avós precisam fazer. Temos de aprender a extrair lições de cada exemplo bíblico que encontramos. Precisamos também nos recusar a ficar impressionados com o tamanho dos gigantes que enfrentamos. Eles não merecem nenhuma atenção. Deus já foi adiante de nós e preparou o caminho para o nosso triunfo por meio das promessas que nos deu.

Se a resposta à nossa oração demorar, ela está ganhando interesse. E, quando a resposta chegar, virá com mais poder e glória do que se tivesse sido concedida no momento em que oramos pela primeira vez. Viva com essa confiança em tudo na vida. Mas tenha certeza de fazer isso com o maravilhoso privilégio de criar *vencedores de gigantes.* Deus projetou os nossos filhos para que tenham coragem no mundo inteiro. Eles nasceram para isso.

O que você acha da sua capacidade de criar filhos? Está mais ciente da sua própria incapacidade do que na capacidade de Deus para ajudá-lo? Está mais ciente do mal que invade a sociedade do que da justiça de Deus na sua vida? Você compartilha a ideia de que "diante deles, eu pareço um gafanhoto"? Em caso positivo, arrependa-se. Confesse e abandone a mentira. Deus está presente. E ele tem uma promessa feita especialmente para você. A oportunidade para criar filhos valorosos está diante de você. Não permita que o seu gigante mate o impulso de fé que Deus projetou para toda a sua linhagem familiar. Adote a atitude de Davi e Calebe de vitória certa. E lembre-se desta importante lição: a autoconfiança não é maior que a própria pessoa. A confiança em Deus, que se chama *fé*, é tão grande quanto Deus.

Uma promessa de quarenta anos

A geração seguinte dos israelitas superou o medo dos inimigos, dando a Deus uma oportunidade de demonstrar que ele era o autor da promessa. Um dos princípios mais importantes do Reino para nós é que *Deus cumpre o que ele promete*. Israel herdou o que Deus disse que herdaria, embora isso tenha ocorrido quarenta anos depois do que Deus planejara. Qualquer rebeldia da nossa parte muda o cronograma de Deus.

Israel havia feito grandes progressos em relação aos gigantes e estava pisando na terra prometida. Depois que eles entraram na terra para receber a herança, não ouvimos falar dos gigantes até o momento em que seu exército enfrenta Golias.

Há algo a ser dito a respeito de ter de reafirmar a nossa confiança em Deus quando enfrentamos os nossos próprios gigantes. Se um gigante permanecer na nossa terra, é para que possamos descobrir o que Deus nos concedeu. O inimigo sempre tenta nos tornar mais conscientes dos nossos problemas que das soluções que temos em mãos.

Davi não estava enfrentando apenas um gigante. Estava enfrentando o que Israel temia desde os tempos do deserto e demonstrando coragem quanto ao passado, ao presente e ao futuro daquele povo. Estava confrontando o passado deles, perseguindo os arqui-inimigos a fim de recuperar sua identidade como povo de Deus. Estava desafiando a atual situação deles, vingando-se daquele que ridicularizava o nome do Deus vivo. E estava desafiando a tentativa de Golias de levar Israel de volta à escravidão, garantindo um futuro mais seguro e bem-sucedido ao povo. Aquele era um jovem pastor enfrentando esse desafio. Criamos os nossos filhos sabendo que, quando Deus os capacita, eles se tornam poderosos. Mesmo na juventude. Ensinamos a eles sua identidade e propósito, tendo seu destino em mente.

Davi pegou cinco pedras, embora precisasse de apenas uma para derrotar Golias. Não foi por falta de fé que ele pegou várias. Evidentemente, Davi estava transbordando de fé e de extraordinária confiança. Golias tinha irmãos. Acredita-se que Davi estava preparado para terminar a tarefa do momento, caso os outros quatro o atacassem. Na criação de filhos valorosos, é importante educá-los com o compromisso de terminar a tarefa.

O destino das nações se equilibra quando um menino pastor enfrenta o gigante que os exércitos de Israel tanto temiam.

Um amigo nosso disse muitos anos atrás que os filhos não recebem um Espírito Santo juvenil! Ele somente tem um tamanho — onipresente e onipotente!

A origem da coragem extraordinária

Davi tinha um coração voltado para Deus que se interpunha em tudo o que ele fazia. Davi era conhecido como adorador. Mas esse estilo de vida começou bem antes de ele se tornar rei. Davi aprendeu que Deus retribuía com muito amor o sacrifício de agradecimento e louvor que ele oferecia. Isso ocorria no meio do deserto, enquanto ele apascentava o rebanho de seu pai. O jovem pastor adquiriu coragem porque Deus lhe respondia, não porque havia sido criado dessa maneira.

Embora eu acredite que nós, os pais, contribuímos grandemente para incutir coragem nos nossos filhos, a verdade é que a nossa maior contribuição é apresentá-los a um Pai celestial que se comove diante do clamor do coração de seus filhos. Eles precisam aprender sozinhos que Deus responde às suas ofertas de agradecimento e louvor. Somos capazes de comover Deus! Não há nada mais grandioso que ver o Deus do Universo se comover com nossas orações. Essa é a origem da coragem extraordinária. E o nosso desafio de incuti-la nos filhos requer exemplo, instrução e oportunidade.

Davi reafirmou o passado, trouxe paz ao presente e garantiu mais confiança no futuro. Se você tiver a coragem de criar o seu filho para fazer diferença no mundo, ele terá o incentivo de que necessita para ser uma pessoa corajosa. Seja exemplo dessa coragem da melhor maneira possível.

Vencedores de gigantes, unam-se!

Não sei ao certo quem disse estas palavras pela primeira vez, mas meu amigo James Goll costuma repeti-las com frequência: "Se Deus permite que um Golias se apresente diante de você, é porque ele sabe que existe um Davi dentro de você".

A história de Davi e Golias que fala sobre derrotar gigantes é muito conhecida tanto dentro quanto fora da Igreja. No entanto, há vários gigantes mortos na Bíblia, e foram os seguidores de Davi que os mataram.

Se queremos que os nossos filhos vençam gigantes, precisamos enfrentar e vencer os nossos gigantes. O nosso exemplo e a nossa força serão a herança deles.

2

CRIANDO PAIS

Banning Liebscher, líder e fundador do incrível ministério Jesus Culture, que atualmente se transformou em um movimento, conta uma história engraçada sobre levar seu cão para ser treinado. O cão era um aborrecimento e uma constante frustração para a família inteira de Banning. Mas eles amavam o cão e queriam que continuasse a fazer parte da casa. Banning esperava que um treinador profissional de cães pudesse resolver seus problemas aparentes. Encontrou uma treinadora famosa e pagou antecipadamente oito semanas de aulas para treinamento com outros cães e seus respectivos donos. Banning, porém, desistiu depois de duas semanas. A treinadora nunca lidou com o cão frente a frente. Pelo menos 95% do tempo, ela tentou treinar apenas Banning.

Se eu tivesse um cão que não prestasse atenção em mim, que me desobedecesse repetidas vezes e não cumprisse as regras de casa, gostaria que o treinador resolvesse o problema.

E o problema é o cão, claro! No entanto, aquela treinadora concluiu que o verdadeiro problema era Banning. O meu amigo levou o cão para ser treinado, não para ele próprio receber sermão da treinadora. Pagou uma boa quantia para resolver os problemas de seu cão. Quando penso na história com o meu cão, um pointer alemão de pelo curto e um tanto maluco, tenho certeza de que o problema também era eu. Provavelmente os treinadores de cães falam sobre nós quando se reúnem para tomar café.

O assunto de criar filhos começa realmente com a natureza, o caráter e a condição dos pais. Não há necessidade de pais perfeitos para criar os filhos de modo correto. Nem de pais com histórico de vida saudável. Mas há necessidade de uma busca intencional dos valores fundamentados no que a Bíblia chama de *Reino de Deus*. E, para ser sincero, muitas pessoas que nunca ouviram falar do Reino têm obtido sucesso nessa missão ao longo dos anos. Os princípios desse Reino estão escritos com letras marcantes no coração das pessoas, para que elas lhes obedeçam.

Talvez você se surpreenda, mas aqueles que guardam esses princípios, mesmo que não tenham nascido de novo, exercem uma profunda influência nos filhos que criam. Tenho visto não cristãos ser exemplos das verdades do Reino com excelentes resultados. E tenho visto cristãos desprezarem esses princípios, e os resultados foram devastadores na vida dos filhos. Não se pode negar a verdade, e ela beneficia qualquer um que dê valor a ela por meio de obediência e respeito. Deve-se notar, contudo, que qualquer pessoa que tenha um relacionamento pessoal com Jesus e viva de acordo com os princípios de seu mundo sempre terá vantagem sobre outra que simplesmente valoriza os conceitos celestiais.

Perfeitamente imperfeitos

Não existem muitas pessoas que foram criadas por pais orientados pelo Reino. Quando digo *orientados pelo Reino*, refiro-me a pais que criaram os filhos de acordo com os valores do mundo de Deus e se esforçaram para implantar algo neles que somente a fé é capaz de ver. A maioria dos pais simplesmente faz o melhor, o que não deixa de ser merecedor de agradecimento. No entanto, até alguns dos melhores pais dão pouca atenção à ideia de que poderiam criar os filhos para que tenham um impacto eterno. Uma vez que Deus é aquele que torna possível viver sem impossibilidade, imagino que também poderíamos viver além do que é aceitável e normal.

Existem também pais que foram demasiadamente perversos. Infligindo maus-tratos e sendo negligentes, esses pais disseram aos filhos que crianças atrapalham os planos egoístas que eles tinham para a vida. Alguns dos testemunhos mais notáveis de todos são os filhos criados em um ambiente diabólico, mas que superaram barreiras e se tornaram adultos piedosos com propósito eterno. E, por sua vez, criaram os filhos nos caminhos do Senhor como justificação plena para aquilo que não receberam. Eu exalto esses heróis da fé com tudo o que há em mim. A história deles é a essência da beleza e da redenção.

Seja qual for o nosso histórico de vida, agora temos um Pai perfeito, generoso, bondoso e cheio de amor que nos está criando. Todos nós, criados de forma maravilhosa ou de forma terrível, somos responsáveis por ter a nossa história reajustada, o que significa andar com um Pai que é perfeito em tudo. E, apesar de haver muitos filhos que projetam naturalmente os fracassos e as fraquezas dos pais terrenos no Pai celestial, não use esse tipo de raciocínio como desculpa. Aprenda a conhecer o seu Deus e permita que esse conhecimento se torne a essência do pensamento daqui em diante. Somente pela graça é que qualquer um de nós é capaz de representar bem o nosso Pai celestial.

Embora eu tenha tido pai e mãe piedosos, somente quando meus filhos nasceram foi que comecei a aprender a conhecer o meu Pai celestial de uma forma que nunca imaginei ser possível. O que sentia pelos meus filhos era completamente diferente do que eu sentia antes. O fato de a integridade ser predominante na minha infância certamente me deu um bom começo. No entanto, um dia totalmente novo me foi mostrado ao ver o meu coração explodir de amor e afeição por aqueles três filhos queridos que Deus pôs nas minhas mãos para cuidar.

Os meus pais

Os pais piedosos que me criaram tinham o sonho de que a minha vida seria repleta de grandes realizações. Mas eles nunca me forçaram nem me coagiram a seguir determinada direção. Sempre me encorajaram, dizendo que eu poderia realizar qualquer coisa que tivesse em mente. Lutaram para que eu alcançasse os meus interesses e pretensões.

Os pais autênticos, humildes e que anseiam verdadeiramente por aquilo que Deus reservou para eles ocupam a posição de criar filhos capazes de transformar o mundo. É a sensação de aventura e mistério que passa a ser o ingrediente contagiante. Aceitar a nossa missão como uma jornada misteriosa é um excelente começo para ter uma vida de surpresas e realização pessoal.

A sobrevivência é um objetivo insignificante para os pais. Recebemos um tesouro do céu, com a tarefa de construir algo de valor eterno. Conforme vimos na história de Davi e Golias, a coragem é um ingrediente essencial para a vida — principalmente quando se trata de construir um lar.

O propósito dos pais

Há uma passagem em Malaquias que me tocou profundamente durante muitos anos sobre os motivos de nos tornarmos pais piedosos. Na verdade, Deus é muito mais específico. A Bíblia ensina que, no casamento, duas pessoas se tornam uma. O casamento é um mistério entre o marido e a esposa que aponta profeticamente para Jesus e sua Noiva, a Igreja. No entanto, no que se refere à família natural, Deus teve a ideia de dois se tornarem um por um motivo. A passagem aborda esse tema de forma clara e, depois de lê-la em várias versões para esclarecer o assunto, a *Nova Versão Transformadora* é a que fala mais claramente a mim:

> Acaso o SENHOR não o fez um só com sua esposa? Em corpo e em espírito vocês pertencem a ele. E o que ele quer? Dessa união, quer filhos dedicados a ele. Portanto, guardem seu coração; permaneçam fiéis à esposa de sua mocidade. "Pois eu odeio o divórcio", diz o SENHOR, o Deus de Israel. "Divorciar-se de sua esposa é cobri-la de crueldade", diz o SENHOR dos Exércitos. "Portanto, guardem seu coração; não sejam infiéis." (Malaquias 2.15,16).

Deus não é hesitante em suas intenções. Ele criou o milagre de duas pessoas se tornarem uma. Mas o motivo de Deus para esse evento espiritual é que ele deseja uma descendência temente a Deus dessa união. Reflita nas implicações dessa afirmação. Unidade é o contexto no qual os filhos se tornam os melhores possíveis, com a maior chance de chegarem a ter valor eterno. Não estou dizendo que os filhos não possam crescer com o coração voltado para Deus mesmo em um lar dividido. Há evidências em todos os lugares de que a graça de Deus é mais que suficiente para compensar o que falta em cada lar. Ainda assim, o propósito de Deus continua intacto. Quando duas pessoas se tornam uma, prepara-se o terreno para que filhos tementes a Deus sejam criados e capacitados para viver no mundo e causar um impacto de natureza divina.

Deus deseja que sua natureza seja vista na terra. Anseia que todos os que fazem parte da criação sejam beneficiados pela manifestação de seu coração por meio daqueles que ele capacita, ou seja, as pessoas. Quando entendemos essa verdade, temos mais facilidade de cumprir o nosso chamado como representantes de Deus, o nosso Pai, na terra.

Deus revelado

A natureza de Deus é revelada de modo mais claro por meio da história redentora de Jesus e de seu sofrimento na cruz por nós. Não existe história mais grandiosa nem mensagem mais poderosa. É crucial que ilustremos essa realidade carregando a nossa cruz, entrando na vida de ressurreição. Tanto a integridade quanto o poder se tornam manifestações da nossa vida redimida.

O Pai nos restaura para um propósito e planeja a nossa salvação. Isso se torna visível por meio das características de integridade e poder. Mas essas coisas devem ser as manifestações de estarmos em perfeita harmonia com Deus, revelando-o em tudo o que fazemos e em tudo o que somos. Os redimidos do Senhor precisam redescobrir e desfrutar esse sentido de propósito.

Deus é revelado gloriosamente nos Evangelhos. Mas ele também se fez conhecido por meio de sua criação, da arte, das pessoas e do planejamento. A lista não tem fim. Contudo, uma das maneiras mais claras em que ele se revela é no lar — no modo segundo o qual vivemos como marido, esposa e filhos. Quando Deus diz que seu propósito no casamento é uma descendência temente a Deus, ele está à procura de uma geração que se desenvolva nos nossos lares para ser exemplo de sua natureza e refleti-la em tudo o que disser e fizer; que se torne uma geração que demonstre suas regras perfeitas para tudo o que ele tem feito, sendo exemplo "na terra como no céu".

Profecias do casamento

Paulo falou do casamento em termos absolutamente sérios. Ilustrou o planejamento e a santidade do lar usando o relacionamento de Jesus com sua Igreja, que, evidentemente, se refere às pessoas nascidas de novo, não a instituições ou casas:

> Maridos, ame cada um a sua mulher, assim como Cristo amou a igreja e entregou-se por ela para santificá-la, tendo-a purificado pelo lavar da água mediante a palavra, e para apresentá-la a si mesmo como igreja gloriosa, sem mancha nem ruga ou coisa semelhante, mas santa e inculpável. Da mesma forma, os maridos devem amar cada um a sua

> mulher como a seu próprio corpo. Quem ama sua mulher, ama a si mesmo. Além do mais, ninguém jamais odiou o seu próprio corpo, antes o alimenta e dele cuida, como também Cristo faz com a igreja, pois somos membros do seu corpo (Efésios 5.25-30).

Os pais que seguem essas palavras encontrarão mais facilidade para criar filhos que estejam em contato com o planejamento e o propósito deles para mudar o mundo. Depois que os filhos experimentam essa vida de modo contínuo em um ambiente familiar, basicamente não serão destruídos por nada. Mesmo que se desviem do caminho, eles se lembrarão do lugar onde existe vida e retornarão a ele. Todos nós sentimos atração pela vida.

Paulo faz intencionalmente uma comparação profunda entre Cristo e a Igreja, e entre o marido e a mulher. Os dois últimos ilustram no natural a realidade que existe no espiritual. De fato, o natural se torna espiritual, no sentido de que o lar passa a ser o lugar da suprema revelação do amor de Deus por sua Noiva por meio do relacionamento entre o marido e a mulher.

Observe, por favor, algumas características da passagem de Efésios 5. Jesus "entregou-se" completamente pela Igreja. Esse exemplo cria a atmosfera de propósito e planejamento na qual os filhos devem crescer. A infância deles é um tempo de conhecer os valores celestiais que se tornam modelo para os relacionamentos. Se você conseguir ter sucesso nessa área, terá sucesso em qualquer outra.

Observe também que a palavra de Deus sobre a Igreja traz purificação e renovação. Isso é bem diferente de muitos relacionamentos nos quais o lar é um lugar onde as pessoas falam sem pensar em vez de serem mais cautelosas. As palavras que dirijo à minha esposa são para renovar, encorajar e ajudá-la a seguir seu destino. Aquele que ama muito a esposa, *ama muito a si mesmo*. Talvez o ponto fraco na área do *amor a si mesmo* seja uma das causas da fragilidade da vida familiar, porque aquele que é fraco no amor a si mesmo não recebe o amor abundante de Deus como deveria. Amamos muito porque recebemos muito amor. Só podemos passar adiante aquilo que recebemos.

O ideal e a realidade

Como pais, somos construtores de famílias, de pessoas e de legados. É de suma importância viver com uma ideia do que estamos construindo, para que possamos ser mais intencionais. Com isso, há uma conscientização inerente do preço que precisamos pagar para obter essa grande recompensa.

Os blocos de construção mais ideais são o marido e a esposa em amor, em unidade. É difícil derrotar esse contexto. No entanto, conheço muitos pais ou mães solteiros que têm conseguido coisas extraordinárias na criação dos filhos. A combinação entre a graça de Deus e a dedicação deles para compensar o que falta levou-os a uma situação de sucesso que muitos casais nunca conseguiram. É necessário notar que *dois são melhores que um, quando unidos. Mas dois são menos que um, se estão divididos.*

Alguns pais ou mães criam os filhos sozinhos em razão de uma tragédia. Outros criam os filhos sozinhos em razão de pecados cometidos contra eles. E há aqueles que se veem sozinhos por escolhas malfeitas. Seja o que for que tenha acontecido, saiba que Deus perdoa e cura. Só ele pode fazer que um seja igual a dois tanto na eficácia quanto nos resultados. Só ele concede esse tipo de graça.

Precisamos também reconhecer que todo pai e toda mãe que estejam criando filhos capazes de mudar o mundo e de vencer gigantes só conseguirão isso pela graça de Deus. A capacitação de Deus torna possível o impossível. A ele seja toda a glória.

Cuidando do rebanho

A Bíblia menciona várias vezes que o menino pastor Davi cuidava do rebanho de seu pai. Os pastores são conhecidos por conduzir o rebanho para encontrar água, alimento e proteção. No entanto, uma nota especial foi dada ao método de liderança inusitado de Davi:

> "Agora, pois, diga ao meu servo Davi: Assim diz o SENHOR dos Exércitos: 'Eu o tirei das pastagens, *onde você cuidava dos rebanhos*, para ser o soberano de Israel, o meu povo' "(2Samuel 7.8).

O modo de liderança de Davi não recebeu apenas uma nota especial; foi identificado como a plataforma de onde ele foi lançado para ser rei. *De cuidador de ovelhas a soberano.*

Todos os princípios da criação dos filhos são princípios de liderança, segundo o método de Deus. Como pais, exercemos a liderança. Não há nenhuma dúvida de que a liderança exige que o líder vá adiante e que as pessoas o sigam. Há, porém, uma função na liderança da qual pouco falamos: a humildade de estarmos dispostos a seguir.

Todos os bons líderes sabem que não conhecem tudo. Há um ponto de partida excelente para desenvolvermos a humildade.

A conscientização da nossa necessidade pessoal cria um desejo ardente que nos tira do conforto e autocontentamento e nos leva ao sacrifício e aprendizado. E o conhecimento se transforma em sabedoria quando sabemos aonde ir para aprender. É comum ouvirmos que o aprendizado de que mais necessitamos está aonde menos gostaríamos de ir, sem seguir a instrução de Deus.

Aprendendo com as crianças

Prestamos atenção naqueles que lideramos, e às vezes os seguimos. Ouvimos, sentimos e valorizamos suas ideias. Mas Jesus levou esse conceito a um nível totalmente novo quando intensificou significativamente a instrução de que devemos ser humildes. Jesus exaltou o papel das crianças diante dos olhos de todos os seus seguidores:

> Chamando uma criança, colocou-a no meio deles, e disse: "Eu asseguro que, a não ser que vocês se convertam e *se tornem como crianças*, jamais entrarão no Reino dos céus. Portanto, quem se faz humilde *como esta criança, este é o maior* no Reino dos céus. Quem *recebe uma destas crianças* em meu nome, *está me recebendo*. Mas, se alguém fizer cair no pecado um destes pequeninos que creem em mim, melhor lhe seria amarrar uma pedra de moinho no pescoço e se afogar nas profundezas do mar" (Mateus 18.2-6).

> Quando Jesus viu isso, ficou indignado e lhes disse: "*Deixem vir* a mim *as crianças*, não as impeçam; pois o Reino de Deus pertence aos que são semelhantes a elas. Digo-lhes a verdade: Quem *não receber* o Reino de Deus *como uma criança, nunca entrará* nele" (Marcos 10.14,15).

Jesus ensinou aos discípulos que eles tinham de *se tornar como uma criança*. A capacidade dos discípulos de liderar estava ligada à habilidade de seguir. E, embora eles fossem obviamente seguidores de Jesus, o Mestre chamou-lhes a atenção para seguirem a liderança das crianças. Isso não entra em conflito com a nossa necessidade de amadurecer. É que às vezes aquilo que consideramos ser maturidade endurece o nosso coração à realidade do Reino e, falando de modo prático, é bem maçante. A vida é uma aventura tão grande, que a palavra "maçante" jamais deveria ser usada para descrevê-la. Toda pessoa que está aborrecida com a vida deveria examinar atentamente se está seguindo Jesus, porque ele não é e nunca será maçante.

Os pais que não querem aprender com os filhos estão perdendo a maior oportunidade na vida para adquirir experiência. O orgulho e a arrogância quase sempre cooperam disfarçadamente para prejudicar os nossos momentos com Deus. Os pais orgulhosos e arrogantes são, em geral, mais propensos a criar um ambiente no qual eles sejam o chefe e estejam no comando, mas ninguém os segue com alegria.

Tempo para criar raízes e crescer

As crianças adoram aventura, perdoam com facilidade, são maleáveis, possuem um apetite insaciável para aprender, valorizam coisas simples, riem o tempo todo, imitam outros sem inibição e são humildes. Essas características as colocam no lugar mais alto de honra, porque Jesus diz que elas são as mais importantes em seu Reino. Isso é realmente assombroso. O Reino de Deus está repleto do que há de melhor em beleza, maravilha, excelência e heróis. No entanto, são as crianças que ocupam o lugar mais alto nessa classificação. A beleza está em que todos têm acesso a esse tipo de grandeza. É a grandeza do coração. Todos nós temos, até certo ponto, o desejo de ser importantes. Esse desejo não se baseia em mero talento humano nem nos dons concedidos por Deus. É visto na pessoa semelhante a uma criança que continua a apreciar a vida. Precisamos lutar contra qualquer coisa que coopere para roubar o nosso modo infantil de amar e servir a Deus. É uma montanha que merece o nosso esforço para superá-la.

Jesus também nos ensinou a importância de receber as crianças, o que significa aceitá-las, valorizá-las e celebrar a presença delas. Há dois frutos ou benefícios de receber uma criança, que valem a pena ser observados. Primeiro de todos, a passagem de Mateus 18 diz que, se recebemos uma criança, recebemos Jesus. Muitos dos nossos cânticos e sermões mencionam frequentemente a necessidade de ter mais de Deus na nossa vida. Talvez o *mais de Deus* que desejamos se encontre na mesma proporção que recebemos as crianças. Dedicar tempo às crianças é receber Deus. Ele aceita isso pessoalmente e se manifesta a nós por meio da vida da criança que recebemos.

Na segunda vez que menciona receber crianças, na passagem de Marcos 10, Jesus estabelece uma ligação entre essa atitude e a nossa entrada no Reino. Uma vez que o Reino é a esfera do domínio de Deus, parece lógico que a proporção com a qual recebemos as crianças é a mesma para entrarmos no domínio de Deus e experimentar o benefício de seu Reino. Isso é realmente assombroso, porque o nosso coração clama por entrar no mundo de Deus. Entramos no mundo de Deus por meio de uma porta incomum chamada "acolhendo e festejando as crianças na nossa vida".

Quando o meu "não" saiu errado

Certa vez, alugamos um retiro cristão muito conhecido que continha chalés, salão de jantar e grandes salas para a nossa reunião de família. Foi um tanto surreal ver mais de 160 pessoas chegando de avião de todas as partes do mundo para participar. Algumas eram missionários que vieram de muito longe apenas para rever familiares que não viam havia anos, ou que ainda não conheciam.

Reunimo-nos para adorar a Deus, orar e nos divertir. Além das atividades recreativas, havia reuniões improvisadas com diferentes assuntos e temas. Tivemos até reuniões para discutir tópicos específicos relativos à nossa influência no ambiente mundial onde vivemos. Dizer que aquele foi um tipo diferente de reunião de família é um grande eufemismo.

Lembro-me de um ponto no qual o coordenador da reunião avisou a todos que mais ou menos 65 participantes eram pastores ou missionários, ou descendentes diretos deles. Havia também um grande número de advogados, professores universitários e pessoas de várias profissões. Foi tremendamente inspirador, mas um pouco intimidador também. É maravilhoso poder dizer que algumas das pessoas mais ilustres do grupo eram aquelas de *status mais alto*, de acordo com o conceito humano. E eram elas que serviam a todos e tinham o coração mais terno, prontas para celebrar uma pequenina vitória que alguém do grupo compartilhava. O coração delas ardia com um amor genuíno por Jesus. Impressionante!

Houve até quem dançou quadrilha, porque alguns dos meus parentes eram bons nisso. Mas eu não. Não danço na frente de ninguém. (Exceto para Jesus. Diante dele, eu danço.) Não há ninguém que me faça mudar de ideia porque ela já está formada. E está formada há décadas. Esse é um fato que a minha família inteira pode comprovar. A pressão de amigos não significa nada para mim. Compareci só para me socializar com as pessoas. Enquanto observava uma sala cheia de pessoas rindo e tropeçando nos próprios pés, diverti-me com a alegria delas. Também permaneci firme na decisão de não dançar.

De repente, a minha filha, Leah, que na época tinha 8 anos, apareceu do nada e me perguntou: — Papai, você dança comigo?

Não acreditei nas palavras que saíram de minha boca. De alguma forma o meu "não" saiu errado: — Claro, querida, vou dançar com você.

Cada pedacinho de teimosia começou a desmoronar em um instante, um após outro, por uma criança de 8 anos. Não tive argumentos contra aquela tática. Foi doloroso e constrangedor, até o momento em que vi a alegria dela. "Recebi" a criança e participei de sua alegria. Dediquei alguns momentos maravilhosos e deliciosos a uma menina que significa tudo no mundo para mim. De certa forma, ser pai ou mãe é mais ou menos isso.

Acolhendo uma visitação de Deus

Quando pensamos nas afirmações de Jesus sobre as crianças, sobre o Reino e a presença dele, faz sentido dizer que o lugar mais importante da visitação e da descoberta deve ser a família. É o "dois ou três reunidos em meu nome" permanentemente que atrai a gloriosa presença de Jesus (v. Mateus 18.20).

Como pais e avós, somos posicionados para receber o maior de todos os tesouros, chamado *Reino de Deus*, porque recebemos seu maior tesouro, chamado *crianças*. Eles vêm juntos no mesmo pacote.

Como pais, precisamos desenvolver e proteger o nosso coração aprendiz, sempre nos tornando cada vez mais semelhantes a crianças. Se construirmos uma vida doméstica em torno desses valores e modos de vida, será mais fácil ver como as crianças progredirão até se tornarem aquilo que Deus planejou para elas.

O último ponto das instruções de Jesus sobre o valor das crianças se refere ao que acontece com aqueles que fizerem uma criança cair no pecado. Essa deve ser uma das afirmações mais sérias na Bíblia a respeito da criação dos filhos. Somos mordomos da vida de um filho. Ele não nos pertence. Foi-nos emprestado. O modo segundo o qual cuidamos de um filho revela até que ponto entendemos esse conceito de mordomia.

Muitas pessoas são dizimistas, ofertam e investem dinheiro com sabedoria, tudo porque sabem que são administradoras do dinheiro de Deus. Mas tragicamente essas mesmas pessoas quase sempre desprezam ou maltratam uma criança por causa de frustração pessoal ou egoísmo, sem perceber que o maior tesouro da terra que lhes será dado é a vida daquela criança. E teremos de prestar contas do que fizemos com essa missão tão privilegiada.

Fazer uma criança cair no pecado é fazê-la cometer erros. Paulo aborda esse assunto em Efésios 6.4, quando afirma: "Pais, não irritem seus filhos". *Irritar* aqui significa "estimular alguém a ter uma reação emocional negativa". Pais que irritam os filhos provocam raiva neles. Ter uma atitude saudável interiormente é a melhor coisa que posso fazer pelos meus filhos.

Às vezes, o lar é um lugar onde pais negligentes irritam e intimidam os filhos até o ponto de provocar reações negativas neles. Seria errado supor que os pais são culpados de todas as reações negativas dos filhos. Mas às vezes eles são. E quase sempre isso ocorre por causa da necessidade dos pais de demonstrar poder diante do filho. Não deveria ser assim.

Cuidar do rebanho, aprender com os filhos e permanecer na aventura até a fase adulta certamente ajudariam nessa missão privilegiada de ser pai ou mãe. As crianças aprendem no decorrer da vida. Talvez essa seja uma das características exigidas para ser um bom pai ou uma boa mãe — a humildade e a disposição para aprender ao longo do caminho.

3

PAIS COMO PROFESSORES

QUANDO ME TORNEI PASTOR, ASSUMI a responsabilidade de ministrar muito a sério a Palavra de Deus. Passava grande parte do tempo em oração e meditando na Palavra. Descobri rapidamente que seria melhor eu não estudar para pregar uma mensagem. Seria muito melhor eu estudar para aprender. Ponto. E, com base na minha experiência pessoal, eu tentaria ensinar as Escrituras. Aquele método mudou tudo.

Eu era marido, pai e pastor, portanto pode ser dito que as minhas duas principais preocupações eram a família e a igreja. Eu não queria ter sucesso como pastor de igreja, mas tinha medo de falhar como chefe de família, portanto a família se tornou o foco principal no meu estudo das Escrituras. Examinava cada capítulo, versículo ou até uma expressão que me ajudasse a ser um marido e um pai melhor. Sinceramente, não precisei de muito estudo para ser um bom marido. Aquilo veio naturalmente, porque eu havia sido criado vendo ótimos exemplos de como ser um bom marido (no meu pai e nos meus avôs).

E, apesar de poder dizer que ser pai era fácil, em parte pelo mesmo motivo, eu certamente necessitava de mais discernimento para ser um bom pai. Queria que o meu papel como pai fosse muito melhor. Em palavras mais simples, eu queria criar vencedores de gigantes! Isso mesmo. Queria criar filhos que influenciassem o rumo da história mundial. A minha Bíblia ficou rapidamente marcada com palavras sublinhadas e círculos em versículos que me davam informações úteis para aquela missão privilegiada.

Uma das primeiras coisas que comecei a aprender como pai jovem foi que Deus dera a Beni e a mim a responsabilidade de ensinar e treinar os nossos filhos. Quanto mais eu vasculhava a Palavra de Deus, mais me convencia de que aquele trabalho era meu, não da Igreja ou do governo. Essas outras instituições devem complementar o que ocorre no lar.

Cultura bíblica

Gosto muito de ler e estudar Deuteronômio. Na minha opinião, foi esse livro que moldou, mais que qualquer outro, a cultura de Israel. Cultura é o sistema de crenças, limites relacionais e valores que cria um contexto no qual uma família, cidade ou país progride. Neste caso, estamos falando de Israel, o povo de Deus. Israel é também o precursor da Igreja. Tanto Israel quanto a Igreja vivem e morrem pela cultura na qual escolhem viver.

Em Deuteronômio, encontramos uma lição muito clara: os pais têm a responsabilidade de ensinar os filhos. Há algumas argumentações de que outras pessoas também estão envolvidas nesse privilégio, mas os responsáveis principais são os pais:

> "Apenas tenham cuidado! Tenham muito cuidado para que vocês *nunca se esqueçam das coisas que os seus olhos viram*; conservem-nas por toda a sua vida na memória. *Contem--nas a seus filhos e a seus netos.* Lembrem-se do dia em que vocês estiveram diante do SENHOR, o seu Deus, em Horebe, quando o SENHOR me disse: 'Reúna o povo diante de mim *para ouvir as minhas palavras*, a fim de que aprendam a me temer enquanto viverem sobre a terra, e *as ensinem a seus filhos*' " (4.9,10).

Acima de tudo, observe que eles deveriam lembrar o que haviam visto. Aquele era o grupo de pessoas que havia sido tirado do Egito com milagres, sinais e maravilhas. A vida delas foi marcada por uma experiência assombrosa atrás da outra, intercaladas com inimigos e desafios à fé que professavam. A lembrança das atividades de Deus entre eles foi muito crítica para serem vitoriosos, porque Deus é mais que uma filosofia ou conceito. Ele é Deus, o Deus sempre presente.

Israel também foi requisitado a permanecer firme e ouvir a Palavra de Deus com atenção. Ouvir o que Deus exige e espera do povo levou-o a temê-lo. Esse é o medo que não afasta as pessoas de Deus; ao contrário, leva-as a amá-lo. E, se o povo ouvisse com atenção e temesse a Deus, teria condições de ensinar o mesmo a seus filhos. Ao longo das Escrituras, vemos frequentemente Deus tornando possível que algo fosse conseguido em uma geração e também na seguinte, para que nunca houvesse um declínio na intenção e no propósito do povo de Deus na terra. Deus se manifesta de glória em glória, e somos posicionados a fazer o mesmo.

Observe o contexto para ensinar os nossos filhos e o que esta passagem revela:

> "*Ensine-as com persistência a seus filhos.* Converse sobre elas quando estiver sentado em casa, quando estiver andando pelo caminho, quando se deitar e quando se levantar. Amarre-as como um sinal nos braços e prenda-as na testa. Escreva-as nos batentes das portas de sua casa e em seus portões" (Deuteronômio 6.7-9).

Você ensina os seus filhos *quando se senta, quando anda, quando se deita e quando se levanta.* Em outras palavras, o momento de ensinar é quando vocês estão vivendo juntos. Em vez de apenas criar um espaço na agenda para ensinar, transforme a vida em uma lição. Uma palavra de advertência: o ensino do tipo pregação está ultrapassado. Mas, quando aceitamos a aventura chamada vida e a descobrimos em conjunto, toda ocasião é perfeita para aprender lições e habilidades.

No nosso culto da Páscoa, realizado ao nascer do sol, preparamos o café da manhã nas casas de vários membros da nossa igreja. Na época, Brian tinha cerca de 4 anos e estava apenas interessado em comer pãozinho de canela. Eu queria que ele comesse ovos antes. Brian não aceitou. Lembrei-me de que Jesus suportou a cruz "pela alegria que lhe fora proposta" (Hebreus 12.2); portanto, segurei o pãozinho na frente dele, para motivá-lo a comer os ovos. Ele olhou para o pão e comeu os ovos. Recompensei-o com um maravilhoso pãozinho. Essa é a vida no Reino. Tudo é importante.

É muito libertador pensar que a vida em si é a sala de aula e que cada dia é a escola. Se vivemos conscientes das oportunidades e dos propósitos, compartilhamos uma jornada na qual os pais e os filhos a apreciam. Significa que temos a responsabilidade privilegiada de viver intencionalmente. Sejam quais forem as circunstâncias, vivemos com a mente focada nos nossos filhos.

Lembro-me de um dia em que cheguei em casa depois do trabalho e encontrei Beni na porta, dizendo que eu precisava entrar e ver o que Eric havia feito. Ela levou-me direto ao quarto de hóspedes. Eric, na época com cerca de 5 anos, havia rabiscado uma parede inteira com giz de cera. Aparentemente, Beni lhe havia dito que me contaria tudo quando eu chegasse. Eric olhou para mim como se estivesse em apuros. Ele havia pintado uma área de 3 metros da parede com o desenho de uma paisagem urbana, incluindo muitas construções e arranha-céus. Chegou até a colocar vidros nos prédios.

Fiquei impressionado. Olhei para a parede, depois para ele e disse: "Você fez um belo trabalho, filho. Estou muito impressionado com os prédios que você desenhou. Olhe para aquelas janelas. Parabéns". A seguir, disse-lhe que, na próxima vez que ele quisesse desenhar, deveria pedir papéis. Assim, seria melhor e não daria tanto trabalho para limpar.

O curioso foi que, depois de mais ou menos uma semana, recebemos visitas para o jantar. Durante a refeição, interrompi a conversa e disse: "Preciso mostrar uma coisa a vocês. Venham e vejam". Mostrei-lhes, então, o que Eric havia feito. Dessa vez Eric estava presente, com a cabeça levantada enquanto eu apontava os detalhes de sua obra de arte. Não sei se os nossos amigos ficaram impressionados, mas não fiz aquilo por eles. Fiz pelo meu filho.

Quando deixamos de "pregar para os nossos filhos", eles tendem a fazer perguntas sobre a vida:

> "No futuro, *quando os seus filhos perguntarem* a vocês: '*O que significam estes preceitos, decretos e ordenanças* que o Senhor, o nosso Deus, ordenou a vocês?', *vocês lhes responderão*: 'Fomos escravos do faraó no Egito, mas o Senhor nos tirou de lá com mão poderosa. O Senhor realizou, diante dos nossos olhos, sinais e maravilhas grandiosas e terríveis contra o Egito e contra o faraó e toda a sua família. Mas ele nos tirou do Egito para nos trazer para cá e nos dar a terra que, sob juramento, prometeu a nossos antepassados" (Deuteronômio 6.20-23).

Os nossos filhos dialogariam mais conosco em vez de ter de ouvir monólogos. Diálogo é uma conversa de mão dupla que inclui dar e receber, bem como às vezes aprender juntos.

É interessante notar que Israel foi capaz de criar uma cultura na qual as crianças se tornavam curiosas a respeito de Deus e naturalmente tinham perguntas sobre as maravilhas que ele havia feito, sobre os preceitos e decretos que lhes dera para seguir e suas ordenanças. Deus era seu Senhor e Rei e, por escolha deles, era o assunto principal de sua conversa.

Os princípios deviam ser ensinados e as histórias deviam ser contadas no contexto da vida em família:

> Ele decretou estatutos para Jacó,
> e em Israel estabeleceu a lei,
> e ordenou aos nossos antepassados
> que a *ensinassem aos seus filhos*,
> de modo que a geração seguinte a conhecesse,
> e também os filhos que ainda nasceriam,
> e eles, *por sua vez*,
> *contassem aos seus próprios filhos*.

> *Então eles porão a confiança em Deus*;
> não esquecerão os seus feitos
> e obedecerão aos seus mandamentos.
> Eles não serão como os seus antepassados,
> obstinados e rebeldes,
> povo de coração desleal para com Deus,
> gente de espírito infiel (Salmos 78.5-8).

Precisamos contar a nossa história pessoal com Deus, a fim de que os membros da nossa família tenham um conhecimento eficaz da natureza e do coração de Deus para todos nós. Foi esse processo que preparou os filhos para terem uma confiança natural em Deus. Isso é assombroso! Se esse processo for bem feito, as crianças confiarão instintivamente em Deus sobre todas as coisas da vida e terão uma resistência natural à rebeldia do coração que, conforme sabemos, existira nas gerações anteriores. Esse é o resultado natural para todos nós que seguimos o desejo de Jesus. Não existe alegria maior na vida: "Não tenho alegria maior do que ouvir que meus filhos estão andando na verdade" (3João 4). Essa passagem se refere, claro, aos filhos espirituais. Que alegria maior ainda seria para nós se esses filhos fossem os nossos filhos naturais e também espirituais!

Profecia de testemunhos

Compartilhar testemunhos é de suma importância para aumentar a nossa conscientização do *Deus que está conosco* e do *Deus que é por nós*. Qualquer família que faça disso um foco principal colherá grandes dividendos. Essas histórias contêm em si a revelação do coração e da natureza de Deus, que nunca mudam. Significa que, quando ouvimos uma história do que Deus fez por outra pessoa, estamos ouvindo uma história do que ele faria por nós. Lembre-se: Deus não trata as pessoas com parcialidade; ele é o mesmo ontem, hoje e para sempre (v. Atos 10.34; Romanos 2.11; Hebreus 13.8). O grande pregador britânico Charles Spurgeon falou sobre esse assunto em sua mensagem "The Story of God's Mighty Acts" [A história dos poderosos feitos de Deus]:

> Quando as pessoas ouvem falar do que Deus fazia, uma das coisas que dizem é: "Ah, isso aconteceu muito tempo atrás". [...] Penso que foi Deus quem fez aquilo. Deus mudou? Não é ele um Deus imutável, o mesmo ontem, hoje e para sempre? Será que isso não nos dá argumento para provar que aquilo que Deus fez uma vez pode fazer de novo? Não, penso que posso ir um pouco mais a fundo e dizer *que o que Deus fez um dia é uma profecia do que ele pretende fazer de novo*. [...] Seja o que for que Deus tenha feito [...] deve ser considerado como um precedente. [...] Procuremos buscar com sinceridade que Deus nos restaure a fé dos homens do passado, que possamos desfrutar ricamente de sua graça como nos tempos antigos.[1]

Ele entendeu certo! Esse é o foco das Escrituras, por esse motivo Israel recebeu a ordem de manter o testemunho.

[1] Proferido no Music Hall, Royal Surrey Gardens, encontrado em: **The New Park Street Pulpit Containing Sermons Preached and Revised by the Rev. C. H. Spurgeon**, Minister of the Chapel, During the Year 1859: volume V. London, England: Passmore, Allabaster, & Sons, 1894. p. 309-310. [**A história dos poderosos feitos de Deus**. São Paulo: Editora PES.]

Os testemunhos eram as histórias que se tornariam lentes por meio das quais eles poderiam ver seu desafio atual.

Nosso Deus é o Deus do impossível, e ele nos criou para ser uma pessoa do impossível. Os testemunhos exercem um papel para nos preparar para as missões da vida de *vencer gigantes* e moldar o rumo da história mundial.

Os testemunhos são blocos de construção fundamentais da conscientização do Deus que está conosco. Eles transmitem uma convicção a respeito da natureza de Deus que precisa ser mostrada em nós e por intermédio de nós ao mundo. É muito comum falar, durante o jantar, de problemas, tragédias e até de mexericos sobre a vida ou os fracassos de outra pessoa. Que tal se fôssemos mais intencionais e déssemos um testemunho de algo que somente Deus pode fazer e merecer as honras por esse feito? Isso muda tudo para nós — o que pensamos acerca de Deus, sobre nós mesmos e sobre o nosso propósito na vida.

No caso dos seus filhos, não se esqueça de contar histórias de amigos e/ou líderes que possuam credibilidade. Essas histórias se transformarão em grandes tesouros do coração. Recentemente, Beni e eu convidamos os nossos três netos mais velhos para jantar em casa. Fazia algum tempo que eu guardava no coração o desejo de poder passar alguns momentos com eles para contar-lhes os detalhes da minha caminhada com Deus. Entregamos a cada um deles uma nota de 50 dólares como um símbolo profético do Ano do Jubileu. Jubileu era um evento muito especial que acontecia em Israel a cada cinquenta anos. Durante esse ano, todas as dívidas eram perdoadas e os escravos, libertos, bem como os prisioneiros. Jesus usou o conceito para ilustrar o que cada ano representa para o cristão, chamando-o de "ano da graça do Senhor" (Lucas 4.19). Pedi aos meus netos que guardassem a nota pelo menos durante um ano. Queria que a mantivessem visível, para se lembrarem da liberdade que somente Jesus pode dar.

As histórias que lhes contei são aquelas que eles nem sempre ouvem em uma mensagem, mas os meus descendentes precisam conhecê-las. Falei do momento em que entreguei tudo a Jesus, descrevendo a minha sede por ele da melhor forma possível. Era muito importante para mim que eles entendessem o preço que paguei para conhecê-lo mais. Não foi uma experiência desgastante; foi sincera e desafiadora. Descrevi também os encontros mais importantes que tive com o Senhor e o que aconteceu comigo depois disso. Depois, impus as mãos sobre eles e orei para que Deus lhes designasse seus propósitos e os abençoei grandemente. Essa é uma orientação que planejo seguir com todos os meus netos.

Recompensas

Lancei também um desafio aos meus netos para que lessem o meu livro *Defining Moments: God-Encounters with Ordinary People Who Changed the World.*[2] O livro contém histórias de 13 pessoas normais na vida da Igreja e do encontro inusitado de cada uma com Deus — daí o nome *Momentos decisivos*. Depois de um encontro com Deus, elas passaram a ser transformadoras do mundo. Assim que um dos netos termina a leitura, reunimo-nos durante cerca de noventa minutos para discutir o que havia lido.

[2] Whitaker House, 2016. **Momentos decisivos:** encontros de Deus com pessoas comuns que mudaram o mundo. Brasília, DF: Chara, 2018.

Não se trata de uma prova oral; trata-se de um diálogo. Conversamos sobre cada pessoa e depois entramos em detalhes sobre aquela que mais se destacou para a criança e por quê. No fim da noite, pago 500 dólares a cada neto pela leitura do livro.

Não quero sugerir que devemos sempre pagar aos nossos netos pelo que fazem ou que você, como pai ou avô, deva seguir o meu exemplo. O que faço agora seria completamente irracional para mim como pai trinta anos atrás. Na época, a nossa situação financeira era muito difícil. É óbvio também que os que não querem seguir a minha orientação não recebem a mesma quantia. Escolhi um valor que melhor representava o meu coração e a minha carteira. Você pode fazer o mesmo. Só quero que saiba que agora sou capaz de fazer o que faço e como me aproximo dos meus netos representando o Pai celestial, que "*recompensa* aqueles que o buscam" (Hebreus 11.6).

As recompensas são partes essenciais da vida, e cabe a nós, os pais, recompensar os filhos. No entanto, não seria correto nem saudável sugerir que todas as recompensas sejam em dinheiro ou alimento. Essas coisas podem servir como recompensa, mas pouco significam se não expressarem muito bem a honra sincera que receberam de nós por terem agido corretamente. Palavras de afirmação, oportunidades e privilégios extras podem fazer parte do sistema de recompensa que ajuda a consolidar um sistema correto de valores no nosso lar. Precisamos dar atenção ao que é certo e celebrar bem. A recompensa também ajuda a criar uma corrente emocional com os nossos filhos, para que possamos corrigi-los quando necessário. A nossa filha, Leah, necessitou de pouca correção na infância, porque desejava ardentemente não decepcionar o papai ou a mamãe.

Para ela, isso mostrava um respeito muito saudável e era um ato de honra que não lhe era exigido. Fazia parte dela desde muito cedo na vida.

Responsabilidade de uma geração a outra

Uma das minhas citações favoritas e constantes é a de um dos pais fundadores dos Estados Unidos, John Adams. Ele foi o primeiro vice-presidente do país, que serviu sob o comando de George Washington, e se tornou o segundo presidente dos Estados Unidos. Adams foi um homem brilhante, com profundo conhecimento do processo político e da natureza progressiva da sociedade. Esta citação dele fala profundamente a mim:

> Eu preciso estudar política e guerra para que os meus filhos possam ter a liberdade de estudar matemática e filosofia. Os meus filhos têm o dever de estudar matemática e filosofia, geografia, história natural, arquitetura naval, navegação, comércio e agricultura, a fim de proporcionar a seus filhos o direito de estudar pintura, poesia, música, arquitetura, escultura, tapeçaria e porcelana.[3]

Creio que essa afirmação me comove tanto assim porque ela contém sabedoria que explica que a prioridade de uma geração é abrir espaço para maior independência e liberdade para a geração seguinte. O coração de Deus deseja que vivamos para uma geração que jamais veremos. Para mim, essa citação contém o discernimento conceitual necessário para cumprir essa tarefa.

[3] John Adams to Abigail Adams, 12 May 1780, **Founders Online.** National Archives. Disponível em: <https://founders.archives.gov/documents/Adams/04-03-0258#AFC03d260n4>(grafia atualizada).

A minha única advertência a respeito desse entendimento é que as gerações futuras precisam se conscientizar do preço pago por sua liberdade. Mas até isso não é uma pílula mágica. É preciso produzir gratidão nelas; caso contrário, aceitarão a liberdade como direito adquirido e a usarão como permissão para exceder em tudo.

É responsabilidade de uma geração preparar o caminho para aumentar e abençoar a seguinte. Mas a bênção não pode ser apenas material. Precisa ser uma bênção de caráter, discernimento e agradecimento. Temos a responsabilidade de treinar os nossos filhos além do mero conhecimento e dentro do âmbito do caráter. Com esse pensamento em mente, quando Eric completou 18 anos, escrevi-lhe uma carta com a lista das "dez coisas que eu quero que os meus filhos saibam" antes de saírem de casa. A carta representava o meu compromisso em relação a Brian e a Leah também, claro, e incorporava os meus objetivos para *ser um pai intencional*. Incluí a carta para você no apêndice 1 no final deste livro.

Treinando em casa

A instrução em Deuteronômio sobre pais ensinando filhos passou a ser tão forte para a nossa família da igreja em Weaverville que começamos a trabalhar para treinar os pais a fim de que treinassem deliberadamente os filhos em casa. Cada pai, ou mãe, era o professor da classe. As crianças, claro, também foram encorajadas a trazer os amigos da vizinhança para as aulas.

No início, encomendamos um manual do professor para cada casa. Com o tempo, preparamos o currículo para que o pai ou mãe de um jovem de 16 anos e um menino de 5 anos não precisasse ter duas lições separadas. Organizamos de tal forma que o assunto seria o mesmo para ambos, mas o projeto associado à lição e à aplicação seria para uma idade mais específica. Um grupo de pessoas me ajudou a criar o material que distribuíamos para todas as casas.

O ponto principal é que éramos intencionais e tínhamos um propósito, com o objetivo de ensinar o evangelho, valores, relacionamentos e habilidades para a vida. E, embora isso possa parecer diferente do método "como você vive a vida" que mencionei anteriormente, ambos têm valor, com um fruto único e próprio. (Para os leitores interessados em examinar esse conceito com mais detalhes, incluí um "Guia para os pais sobre escola bíblica em casa", no apêndice 2.)

Os nossos valores

Apresento a seguir o que chamo de quatro pilares do pensamento. Eles estabelecem os parâmetros para os nossos pensamentos, valores, crenças e ações. São essas coisas que moldam a cultura quando postas em prática. Trato delas com mais cuidado no livro *The Way of Life*[4] [O modo de vida], mas incluirei aqui, como apêndice 3, uma declaração maravilhosa do que o nosso ministério infantil criou com base no nosso ensinamento sobre esse assunto. Ele foi usado para adultos e crianças. Os jovens que cursaram a Bethel Christian School [Escola Cristã Betel] também estudaram esse material. A adoção desses valores exercerá um ótimo

[4] Destiny Image, 2018.

efeito em casa e, por nosso intermédio, exercerão influência no mundo ao nosso redor.

Deus é bom

A bondade de Deus não pode ser exagerada. Pode ser diluída, torcida e redefinida. Mas é impossível exagerarmos essa característica dele. Ele é melhor do que pensamos; portanto, precisamos mudar o nosso modo de pensar. A bondade de Deus nos faz sonhar grande e nos inspira a isso.

Nada é impossível

Tudo o que Deus fez tem limitações. Mas ele não tem. Ao querer que compartilhemos essa realidade incomensurável, ele disse: "Tudo é possível àquele que crê" (Marcos 9.23b). Em razão dessa realidade e do privilégio que temos de colaborar com Deus, precisamos *correr riscos* para ver o que ele é capaz de fazer.

Tudo foi liquidado na cruz

Não há nada que Jesus tenha deixado de fora quando morreu por nós na cruz. Seu sangue pagou tudo. Cada questão foi liquidada no Calvário por toda a eternidade. Estou servindo àquele que pensou em tudo, portanto preciso *confiar nele* quando a situação for diferente da que eu esperava ou acreditava.

Eu sou importante

Toda pessoa é importante. Não existem pessoas "descartáveis". Devo amar o meu próximo como amo a mim mesmo, portanto é importante que amemos a nós mesmos, reconhecendo o nosso significado pessoal aos olhos de Deus. Não existe ninguém que, depois de saber para que finalidade Deus o criou, queira ser outra pessoa. Essa realidade deve inspirar-nos a servir bem, porque, no Reino de Deus, grande é aquele que *serve bem*.

As crianças ouvem

Momentos atrás, Beni e eu voltamos para casa depois de receber oração de um grupo de cerca de 20 crianças de 10 anos de idade. Elas nos contaram que sentiram o que Deus estava nos dizendo. Foi lindo e encorajador demais. Se queremos treinar os nossos filhos para ouvir a voz de Deus e representá-lo, precisamos proporcionar-lhes ocasiões para praticarem o que aprenderam. Isso é essencial para que eles aprendam a buscar em Deus o caminho que seguirão na vida. Você também ficará impressionado ao ver quanto a sua fé terá aumentado, dando a clareza do coração de Deus ao seu.

Essa prática de ouvir Deus e falar é importante para as crianças, porque elas aprendem a amar e a servir os outros. Na verdade, uma das partes mais importantes da nossa conferência sobre liderança é o ministério profético sobre cada participante. Vários anos atrás, começamos a acrescentar uma criança a cada equipe. E é muito comum ver uma criança de 8 anos falar uma palavra de grande profundidade a um líder adulto.

Comece desde cedo a criar um ambiente para os seus filhos no qual eles esperarão ouvir a voz do Senhor. Todos podem ouvir a voz de Deus. Não transforme esse momento em algo sobrenatural, esquisito, estranho ou fora de alcance. Ele deve ser comum, simples. Deixe que os seus filhos tomem decisões. Peça que orem por um assunto. Crie neles o desejo de ouvir o Senhor, contando-lhes experiências próprias a esse respeito. Por exemplo, inicie a conversa assim: "Tive esta impressão hoje e vejam o que aconteceu".

Quando falar de um milagre que ocorreu porque você teve a impressão de que prestou atenção nele, isso não apenas treinará os seus filhos para saberem como Deus fala; criará também um desejo de que Deus fale. Incuta neles a expectativa de ouvir a voz de Deus e transmita-lhes as suas habilidades pessoais. Depois pergunte a eles: "O que vocês acham que Deus diria nesta situação?". Só pergunte: "O que Deus disse a vocês?" depois que eles tiverem uma história para contar. Pergunte apenas o que eles pensam, qual é a opinião deles. Ouça e pondere. Essa é uma excelente maneira de desenvolver neles a habilidade de ouvir.

Se acreditamos que Deus pode usar as crianças, precisamos abrir espaço para que se envolvam nos nossos esforços de amar as pessoas e ministrar a elas. Aprender a capacitar as crianças, com a nossa orientação, é vital a fim de que sejam tudo aquilo que Deus planejou para elas — vencedoras de gigantes que mudarão o rumo da história mundial.

4

GOVERNANDO E SERVINDO EM CASA

Governo pode parecer um assunto inapropriado para um livro sobre criação de filhos, mas penso que não é. Pelo menos não é, quando consideramos o que é governo. Governo é a responsabilidade dada por Deus para administrarmos algo. Governo é uma instituição humana criada por Deus que o representa. Nunca se trata de favorecer a pessoa que está no comando.

Os pais são representantes governamentais de Deus, porque a *família* é a primeira instituição criada por ele. Como Pai, Deus formou a família e sua tendência natural de unidade de acordo com ele próprio — Pai, Filho e Espírito Santo. Deus é o modelo perfeito de harmonia e unidade. Quando foram criados, Adão e Eva representavam a Trindade em miniatura por meio de seu relacionamento, unidade e responsabilidades. Eles eram família. Tinham um propósito.

Sempre que uma pessoa assume a responsabilidade de governar, tem a obrigação de descobrir como essa autoridade deve ser expressa. Deus entende a necessidade de liderança e como a liderança correta traz benefícios àqueles que são liderados. Deus entende também as tragédias que ocorrem sob uma liderança ímpia. Os reis do Antigo Testamento fornecem exemplos suficientes de como uma liderança errada nos traz consequências permanentes.

Todas as instituições necessitam de governo. Não importa se essa posição governamental seja a de presidente de um país, CEO de uma empresa, pastor de uma igreja ou pais em casa; todas essas funções são essenciais para o sucesso e o aprimoramento das instituições que eles lideram. E todos os governos servem a dois propósitos básicos: *proteger e delegar poder*. Esses propósitos são alcançados de forma melhor por pessoas que sabem quando e como governar, e quando e como servir.

Os servos governam, e os governantes servem

Muitos cristãos conhecem o ensinamento de Jesus sobre ser o último e ser um bom servo. Ao mesmo tempo, muitos tendem a ignorar o fato de que temos também a responsabilidade de governar. Um exemplo é quando o apóstolo Paulo deu instruções aos presbíteros. Ele disse: "Os presbíteros que *lideram bem* a igreja são dignos de dupla honra, especialmente aqueles cujo trabalho é a pregação e o ensino" (1Timóteo 5.17). O tema todo da sabedoria em Provérbios tem raízes nesse conceito. A palavra "provérbio" deriva de um vocábulo que significa "reinar". A explicação é a seguinte: a sabedoria nos capacita a reinar sobre as questões da vida de uma forma que represente o Rei e seu Reino.

Alguns falham em governar porque não querem tomar decisões difíceis. Quem evita assumir responsabilidade às vezes usa o pretexto de que é servo. Servimos melhor quando entendemos a autoridade que temos. Devemos governar com o coração de servo, e servir com o coração de rei. *Governar com o coração de servo* significa liderar com humildade, na certeza de que usamos nossa autoridade em benefício dos outros. *Servir com o coração de rei* é servir com confiança, sabendo que precisamos utilizar os recursos ilimitados do Rei a quem servimos. Repetindo, é uma expressão de humildade, tendo a confiança como esteio, que nos capacita a utilizar os recursos de Deus necessários para servir com eficiência. Se não entendermos nossa necessidade de utilizar os recursos ilimitados de Deus, tanto na esfera natural quanto na espiritual, deixaremos de entender a missão posta diante de nós. Quando entendo as minhas responsabilidades, anseio por aquela descoberta que busco nele, sem outras opções em mente.

Talvez o outro motivo para os cristãos resistirem à ideia de governar seja o grande número de exemplos que temos visto de pessoas que governam com a mente voltada para a autopromoção e interesses egoístas. Pessoas que usam a posição que ocupam para si próprias, não para benefício de outras ao redor. Esse mau uso da autoridade e responsabilidade complica a questão, porque Deus planejou que os governantes administrassem, conforme evidenciado no Antigo e no Novo Testamentos. A premissa básica de autoridade é que recebemos uma ferramenta para ser usada em benefício dos outros, representando a natureza e o coração de Deus. Isso quase sempre significa falar em favor daqueles que têm pouca ou nenhuma voz ativa. Essa é uma das formas mais puras de se usar a autoridade em nome de Deus.

É raro ver aqueles que são liderados retribuírem os serviços que lhes foram feitos. Todos nós desprezamos o conceito de líderes do governo recebendo propinas de empresários ou outros líderes porque usaram a autoridade que possuem para favorecê--los injustamente. E é comum os adultos fazerem mau uso de sua autoridade no lar para se sentirem poderosos.

O mau uso da autoridade para governar tem feito muitas pessoas rejeitarem o conceito de governar. Mas essa é simplesmente uma reação ao erro, não uma resposta ao que Deus diz em sua Palavra. Em vez de evitar a responsabilidade ou abusar dela, devemos aprender como usar a autoridade de modo correto e representar Deus de modo correto. Quando é bem representado, Deus se manifesta com mais clareza.

Jesus foi o maior exemplo de serviço e governo. Ele lavou os pés dos discípulos como um servo. Mas também exerceu autoridade sobre demônios e enfermidades. Deu instruções e ordens a respeito de como as pessoas deviam viver. Desafiou as multidões com correção e discernimento. Sua liderança foi perfeita tanto no ato de governar quanto no ato de servir. O segredo está em saber quando e como. Isso é especialmente verdadeiro para os pais. O modo de conduzirmos essa responsabilidade serve de ilustração aos nossos filhos da aventura que temos com Deus.

Os reis foram idealizados por Deus

Israel pediu um rei, para ser igual às outras nações que o rodeava. Aqueles foram tempos trágicos na história de Israel, porque o povo estava rejeitando a liderança de Deus e seu envolvimento direto em seus afazeres diários. Deus os advertiu sobre as consequências:

> Samuel transmitiu todas as palavras do SENHOR ao povo, que estava lhe pedindo um rei, dizendo: "O rei que reinará sobre vocês reivindicará como seu direito o seguinte: ele tomará os filhos de vocês para servi-lo em seus carros de guerra e em sua cavalaria, e para correr à frente dos seus carros de guerra. Colocará alguns como comandantes de mil e outros como comandantes de cinquenta. Ele os fará arar as terras dele, fazer a colheita e fabricar armas de guerra e equipamentos para os seus carros de guerra. Tomará as filhas de vocês para serem perfumistas, cozinheiras e padeiras. Tomará de vocês o melhor das plantações, das vinhas e dos olivais e o dará aos criados dele. Tomará um décimo dos cereais e da colheita das uvas e o dará a seus oficiais e a seus criados. Também tomará de vocês para seu uso particular os servos e as servas, e o melhor do gado e dos jumentos. E tomará de vocês um décimo dos rebanhos, e vocês mesmos se tornarão escravos dele. Naquele dia, vocês clamarão por causa do rei que vocês mesmos escolheram, e o SENHOR não os ouvirá". Todavia, o povo recusou-se a ouvir Samuel, e disse: "Não! Queremos ter um rei. *Seremos como todas as outras nações; um rei nos governará*, e sairá à nossa frente para *combater em nossas batalhas*" (1Samuel 8.10-20).

Deus conhecia o coração dos homens e sabia como os reis usariam seu poder para servir a si mesmos. Sem a influência de Deus no coração humano, o poder tende a ser uma ferramenta de autopromoção, prazer pessoal, conforto e mais riqueza.

Os líderes que usam o poder dessa forma expandem seu reino pessoal à custa dos outros. A tragédia dos governos no mundo inteiro é esta: o governo aumenta, ao passo que a importância das pessoas diminui. Esse não é um governo bíblico.

Veja a justificativa de Israel para querer um rei. Eles queriam ser iguais às outras nações. Queriam também um líder que assumisse sua responsabilidade individual como cidadãos e lutasse as batalhas por eles. Sempre que abrimos mão da responsabilidade pessoal, há um preço a ser pago mais adiante. Foi o que ocorreu com Israel.

Não é diferente na nossa casa. Se deixarmos de entender as responsabilidades concedidas por Deus para a nosso lar, continuaremos a abrir mão do nosso papel em favor de instituições e governos de uma forma que Deus nunca planejou. Em anos recentes, a autoridade no lar tem sido cada vez mais atribuída ao governo e até às grandes empresas. E estamos pagando um preço alto, porque a família tem sido redefinida como algo muito distante do plano e propósito originais de Deus. Hoje, a definição governamental de família está se tornando assustadoramente contrária à criação do Criador.

Quando Deus falou a Abraão sobre seu futuro, ele disse que haveria reis em sua descendência: "Eu o tornarei extremamente prolífero; de você farei nações e de você procederão reis" (Gênesis 17.6). Aqui Deus declara que pretendia que houvesse reis. Mas ele queria reis criados em seu tempo, com seu coração. Davi foi um rei assim. Ele foi abençoado com poder porque buscou o coração e o propósito de Deus.

O sucesso no lar está ligado ao compromisso de imitar a busca de Davi. Somos reis no nosso lar. E assim temos a responsabilidade de buscar o coração de Deus, que assegura que não usamos a posição em favor de nós mesmos e dos nossos propósitos. Mas a missão não termina aí, porque, como pais, temos também o desafio privilegiado de criar a realeza.

Historicamente, quase sempre que o pensamento de criar realeza nos vem à mente, imaginamos crianças mimadas e com direito a tudo. Há um motivo para essa preocupação, porque a natureza do homem sem Cristo tem uma forte tendência nessa direção. Mas considere o que seria alcançado se tivéssemos sucesso no que poderia parecer politicamente incorreto — criar filhos com um senso de responsabilidade real, que tenham confiança na comissão dada por Deus.

Imagine como seria se os nossos filhos fossem criados com a dignidade, graça, humildade e conscientização de recursos extraordinários à sua disposição, para serem usados em favor dos outros.

Proteger e delegar poder

Conforme já mencionei, todos os governos possuem duas responsabilidades básicas: proteger e delegar poder. As palavras que representam essas duas ideias podem mudar, mas seu impacto é semelhante. Pedro aborda esse conceito básico de governar quando descreve suas duas expressões singulares: castigar os que praticam o mal e louvar os que praticam o bem:

> Por causa do Senhor, sujeitem-se a toda autoridade constituída entre os homens; seja ao rei, como autoridade suprema, seja aos governantes, como por ele enviados para *punir* os que praticam o mal e *honrar* os que praticam o bem (1Pedro 2.13,14).

O efeito dessas duas ações encoraja e recompensa o bem sobre o mal. Criar proteção é uma das funções dos que governam; a outra abastece o coração daqueles que se doam para a melhoria da sociedade — os construtores.

Paulo tratou desse assunto em Romanos, onde vemos mais uma vez o mesmo conceito relativo ao governo:

> Pois os governantes não devem ser temidos, a não ser por aqueles que praticam o mal. Você quer viver livre do medo da autoridade? Pratique o bem, *e ela o enaltecerá*. Pois é serva de Deus para o seu bem. Mas, se você praticar o mal, tenha medo, pois ela não porta a espada sem motivo. É serva de Deus, agente da justiça *para punir* quem pratica o mal (13.3,4).

É o enaltecimento que encoraja e delega poder. A punição é o elemento de justiça que restaura o padrão para a sociedade, porque provoca o medo de praticar o mal. A justiça aplicada corretamente nos protege.

Muitos cristãos não levam em conta a ordem pela retidão no governo, estabelecida quando os nossos líderes têm a coragem de garantir o cumprimento da justiça. Esses cristãos citam como motivo a ordem de Jesus para perdoar aqueles que nos ofenderam. A instrução de Jesus para nossa vida pessoal a esse respeito nos livra do tormento da amargura e é uma forma extremamente libertadora de viver. Mas Jesus não estava descrevendo como o governo civil deve funcionar. Essa instrução se encontra na Bíblia toda, revelando a necessidade de justiça. Os líderes do governo que tomam essas decisões difíceis são chamados *ministros de Deus*, o que não significa excluir o privilégio da misericórdia, embora seja a justiça que cria a confiança na sociedade de que tudo funcionará bem.

Quero usar mais um exemplo de governar e servir no livro de Neemias, que achei fascinante. O nome Neemias significa *consolador*. Ele é um tipo do Espírito Santo, porque capacitou o povo de Deus a reconstruir os muros de Jerusalém em semanas, uma obra que eles estavam tentando realizar havia décadas.

> Daquele dia em diante, enquanto a metade dos meus homens fazia o *trabalho*, a outra metade permanecia armada de *lanças*, escudos, arcos e couraças. Os oficiais davam apoio a todo o povo de Judá que estava construindo o muro. Aqueles que transportavam material *faziam o trabalho* com uma das mãos e com a outra *seguravam uma arma*, e cada um dos *construtores* trazia na cintura uma *espada* enquanto trabalhava; e comigo ficava um homem pronto para tocar a trombeta. (Neemias 4.16-18)

Essa é uma bela descrição do conceito de um governo saudável e com propósito. Neemias, um representante do rei, foi enviado para comandar a reconstrução de Jerusalém. Mas sua missão era impopular aos olhos das nações vizinhas. Ele trabalhou em meio à oposição. Por esse motivo, os trabalhadores deviam ser protegidos ou portar armas para se proteger. Os dois conceitos de *proteger* e *delegar poder* são claramente manifestos nesse exemplo de responsabilidade governamental. E enfrentamos oposição, quer estejamos construindo cidades quer criando filhos. Há muitas pessoas que desejam impor sua vontade sobre nós quando criamos os nossos filhos com propósito divino. Repetindo, nascemos em uma guerra. O conflito está acima do destino dos nossos filhos.

Os versículos de Neemias mencionados ilustram esse ponto perfeitamente. Metade dos homens trabalhava e a outra metade protegia. E havia o grupo que fazia as duas coisas ao mesmo tempo: construíam com uma das mãos e seguravam uma arma com a outra. E havia ainda o último grupo de trabalhadores, que construíam com uma espada na cintura. O ponto principal é o seguinte: eles *protegiam* e *delegavam poder* para a construção seguir em frente.

Construtores, unam-se!

Nós, os pais e os avós, somos arquitetos e construtores. Protegemos e delegamos poder. Deus nos criou para ser ferramentas em suas mãos, ferramentas que moldem os valores, o caráter, os dons e os pensamentos de uma geração. Os nossos filhos foram colocados em uma posição singular de representar Deus na terra. Coragem, com a mente de Cristo, é essencial para o sucesso. Para realizar bem a nossa parte, precisamos ter sempre uma arma na mão enquanto protegemos em oração a vida daqueles que estão construindo e delegando poder.

5

ARQUITETOS E PROJETISTAS

Conforme já mencionei, somos construtores de famílias, de indivíduos e de legados. Quando temos ideia do que estamos construindo, e quando estamos dispostos a pagar o preço para usar blocos de construção da mais alta qualidade, a recompensa dos nossos esforços é enorme.

São muitos os blocos de construção de um lar saudável. Neste capítulo, analisaremos alguns dos blocos de construção que considero os mais importantes. Vamos começar com o maior de todos: o amor.

Amor

Como agentes governamentais que representam o próprio Deus, somos requisitados a construir algo na vida dos nossos filhos, e por meio dela, que o represente bem. De fato, o mais importante de todos os materiais de construção para o nosso lar é o amor. O amor de Deus, o amor mais verdadeiro de todos, dá e não exige nada em troca. É fácil escrever "amor" no papel, mas é muito mais difícil praticá-lo. No entanto, é o coração e a alma de um lar que criam vencedores de gigantes.

O amor é o bloco de construção mais importante do lar. É a pedra angular. Vemos o maior exemplo de amor no sacrifício de Jesus na cruz. Ele entregou a vida por seus amigos (v. João 15.13). No entanto, a melhor definição de amor encontra-se na primeira carta de Paulo à igreja em Corinto:

O amor é paciente, o amor é bondoso. Não inveja, não se vangloria, não se orgulha. Não maltrata, não procura seus interesses, não se ira facilmente, não guarda rancor. O amor não se alegra com a injustiça, mas se alegra com a verdade. Tudo sofre, tudo crê, tudo espera, tudo suporta (13.4-7).

> Qualquer família que viva de acordo com esse exemplo experimentará coisas que não passam de sonho para os outros. Deus confia naqueles que se entregam para cumprir seu propósito com essa clareza de coração e mente. Esse amor, que não exige nada em troca, chama-se *perfeito amor*. É o amor de Deus. Viver com amor, a pedra angular do comportamento, estabelece os limites para a vida.

O marido é responsável pelo exemplo de amor no lar. O marido deve amar a esposa como Jesus amou a Igreja e se entregou por ela. Esse é o único exemplo que merece ser seguido. Ao agir assim, descobrimos que o apogeu do amor sacrificial estabelece um padrão para a casa, um padrão difícil de ser desprezado em momentos difíceis. Curiosamente, a passagem de Efésios 5 sobre maridos e esposas diz que o marido deve amar sua esposa, mas ordena que a esposa seja sujeita ao marido.

Por que não há nenhuma ordem para amar? Como isso pertence ao nosso relacionamento com Jesus, 1João 4.19 diz: "Nós amamos porque ele nos amou primeiro". O amor de Jesus por nós é o amor que nos dá condições de amá-lo em retorno, com perfeito amor. Esse princípio pode ser aplicado ao lar. Quando o marido ama de modo sacrificial, a esposa e os filhos têm pouco problema em retribuir esse amor.

Paz

Por outro lado, a esposa é a responsável pelo ambiente no lar. Percebo que em muitos lares de hoje o pai e a mãe trabalham fora, portanto esse modelo parece ser impraticável. Contudo, mesmo quando Beni trabalhava, concordamos que a responsabilidade de criar o ambiente no lar era dela. E eu protegia Beni e sua função. Essa perspectiva foi de uma ajuda incomensurável, e o nosso lar se tornou um lugar de amor sacrificial e paz extraordinária. Um ambiente de paz é outro importante bloco de construção de um lar saudável.

O ambiente é um valor com base na presença. Significa que aprendemos, como mãe e pai, a acolher o Espírito Santo em casa. Esforçamo-nos muito para nunca desonrar a presença permanente do Espírito Santo, porque ele era e é o nosso maior tesouro. O coração do Espírito Santo é desonrado de duas maneiras principais:

1. Entristecendo-o. "Não entristeçam o Espírito Santo de Deus" (Efésios 4.30a).
2. Apagando-o. "Não apaguem o Espírito" (1Tessalonicenses 5.19).

Entristecemos o Espírito com atitudes, pensamentos, comportamentos, valores e planos errados. Apagamos o Espírito quando não nos mostramos sensíveis à sua presença de liderança e capacitação. Uma é quando agimos de modo errado, e a outra quando deixamos de fazer o que é certo. A presença permanente do Espírito Santo sempre nos capacita a fazer o que ele ordena; portanto, não temos desculpas a apresentar.

A adoração e a afeição pelo Espírito Santo o atraem para mais perto de nós. Quando mantemos esse valor de afeição por ele, a vida, o lar e o local de trabalho se submetem à bela influência do Deus vivo. Aprender a viver com esse valor supremo é de suma importância para a paz no lar.

Esses dois blocos de construção, os princípios do amor sacrificial e do ambiente de paz, são apenas isto: princípios pelos quais vivemos. Tenha em mente que as instruções para o marido amar sacrificialmente e a esposa exercer influência no ambiente do lar são funções que ambos compartilham. A esposa ama, e o marido contribui para o ambiente no lar. Mas o que ajudou imensamente a Beni e a mim a construir um lar para Cristo foi entender nossas principais contribuições como marido e esposa.

Princípios

Quando os valores do Reino de Deus modelam como pensamos e o que desejamos fazer, sabemos que eles têm raízes verdadeiras no nosso coração. Esses valores são aqueles aos quais nos referimos como princípios do Reino. Aprender a identificar e a entender esses princípios nos ajuda a ser mais intencionais para viver dentro da esfera do domínio de Deus, e eles também nos ajudam a comunicar melhor a sabedoria de Deus aos outros.

Reflita nisto: Salomão foi a pessoa mais sábia que viveu neste mundo, com exceção de Jesus, claro. Salomão pediu sabedoria por causa de sua responsabilidade como rei. Reconheceu sua incapacidade de liderar o povo de Deus de modo correto sem ter sabedoria divina. Essa é também a posição correta de cada pai e cada mãe. A nossa responsabilidade vai além da habilidade natural. O desafio envolvido na criação dos filhos é exponencialmente mais difícil hoje, quando refletimos no sentido real dos dias em que vivemos. Esta deveria ser a motivação de todos nós: apresentarmo-nos diante de Deus e humildemente pedirmos sabedoria. Felizmente, a maldade intensa dos nossos dias não se iguala à sabedoria e ao poder de Deus.

Decidi viver aqui na terra como se vivesse no céu. Significa que, se vivo como se vivesse no céu, meu maior valor é a presença de Deus. O fato de voltar a minha afeição a ele durante o dia, e até durante a noite, firma-me na maior de todas as realidades da vida. Mas há ocasiões em que a "presença que sinto dele" não está ali. Observe a expressão "presença que sinto dele". Ele nunca nos deixará nem nos abandonará, portanto está sempre presente. Há, porém, ocasiões em que Deus interrompe a nossa capacidade de estar cientes de sua presença. Ele faz isso para ver o que faremos com o que sabemos.

Foi o que ele fez com Ezequias: "Deus o deixou, para prová-lo e para saber tudo o que havia em seu coração" (2Crônicas 32.31b). Nunca se trata de castigo. Mas Deus nos provará para saber como reagiremos à sua vontade quando a inspiração for embora.

A vontade de Deus é revelada nas Escrituras. É muito importante ter um povo na terra que lhe obedeça quando sente vontade e quando não sente.

Esses momentos são difíceis, porém vitais, porque determinam a quantidade de glória que somos capazes de carregar. Deus deseja que vivamos e prosperemos sob o peso de sua presença em toda a terra. Mas, se tivermos a tendência de obedecer só quando tudo vai bem ou quando recebemos a glória pelas respostas dele, não seremos dignos de confiança daquilo que ele tem em mente para nós.

É por esse motivo que precisamos aprender os princípios do Reino de Deus. Recorrer a eles nesses momentos significa que entendemos o que é importante e valioso para Deus, mesmo quando a inspiração desaparece. Esse pode ser um assunto estranho para vir à tona, mas explica por que louvar ao Senhor em tempos difíceis é tão importante. A gratidão e o louvor que damos a ele em momentos difíceis nos ajudam a desenvolver o "músculo da fé", que nos capacita a viver e ver além do nosso estado emocional imediato. Aqueles que aprendem isso são mais confiáveis. É essencial ensinar essa lição aos nossos filhos, porque os estamos criando para carregar a glória na terra. Haverá uma geração que renderá glória a Deus e habitará nela. Bem que poderiam ser os nossos filhos!

Persistência

Sem dor, não há ganho. Essa expressão usada no levantamento de peso é também útil na vida. Os músculos doem no exercício. Se você não estiver disposto a sentir dor, haverá pouco desenvolvimento ou crescimento do músculo que está exercitando. O caráter e a fé também são desenvolvidos dessa maneira.

Viver com propósito nos ajuda a suportar decisões dolorosas, porque há ganho do outro lado. Não me lembro de nenhuma outra área da vida na qual esse princípio seja mais verdadeiro que a de criar filhos. A jornada é um amontoado de decisões dolorosas. Às vezes, a dor maior encontra-se em tentar ser coerente, quando seria muito mais fácil ceder, a fim de diminuir o desconforto de um momento.

Há algo maior que a *dor:* o *ganho.* A dor é temporária. O ganho é eterno. Se não fosse verdade, a dor não teria sentido. Persistimos porque a recompensa é maior. Muito maior. É gratificante ver os filhos crescerem em nosso lar para representar um aspecto da natureza de Deus de forma sincera e íntegra. Isso ajuda a criar um legado. E o legado não pode ser superestimado. O rei Davi deixou uma marca tão significativa no coração de Deus que, centenas de anos depois, Deus tratou o povo com uma medida maior de favor porque eram descendentes de Davi. Isso é extraordinário. Tocar o coração de Deus com a nossa fidelidade e criar um legado que favoreça múltiplas gerações deve ser o objetivo de todos os lares cristãos.

Presença é paixão. Princípio é disciplina. Nós não fomos feitos para ser conhecidos pela disciplina que apresentamos. Fomos feitos para ser conhecidos pela paixão que sentimos. Contudo, se os princípios do Reino de Deus estiverem profundamente enraizados no nosso entendimento, teremos mais facilidade de atravessar os períodos nos quais carecemos de inspiração.

Sem Cristo, as pessoas se esforçam para criar uma identidade a fim de serem aceitas. O anseio do coração de todas as pessoas é pertencer a alguém. Isso é muito importante. Mas em Cristo as coisas são diferentes. Começamos sendo aceitos por Deus. Mediante essa aceitação, a nossa identidade é formada. E é por causa da nossa identidade que nos esforçamos. Quando damos o exemplo e ensinamos esse modo de lidar com a vida, capacitamos os nossos filhos a pular os anos desnecessários de crise e a se engajar totalmente naquilo que Deus planejou para eles.

Esperança

Esperança é uma característica fácil de ser identificada nos pais que vivem sob a influência do Espírito Santo. Ela é a pulsação do céu e, como tal, precisa ser a pulsação do lar. Deus não é depressivo, preocupado ou temeroso. Quando nos deixamos levar por essas coisas, torna-se aparente que a influência dele em nós diminuiu. Deus tem esperança. Sei que ele é Deus e, como Deus, ele está no comando. E isso já é motivo para sua esperança. Mas não estamos em Cristo? Não é verdade que nada é impossível para Deus, mas também que nada é impossível aos que creem? Não é verdade que as promessas de Deus são mais que suficientes para tudo que possivelmente viermos a enfrentar?

Quando perco a esperança, sou lembrado de que me desviei do meu chamado e propósito e me esqueci do que Deus disse e prometeu. Nesses momentos, preciso confessar, arrepender-me e voltar à minha posição correta, até que a esperança seja restaurada. Se houver uma área da nossa vida na qual não exista esperança, é sinal de que ela está sob a influência de uma mentira. Aprender a reconhecer a falta de esperança nos capacita a lidar com qualquer coisa que venha a abalar a nossa saúde e bem-estar como família.

Uma das minhas histórias favoritas de esperança de todos os tempos é sobre as descobertas do cientista Curt Paul Richter, do hospital Johns Hopkins. Na década de 1950, ele realizou experiências com ratos e descobriu que eles conseguiam sobreviver por apenas quinze minutos nadando dentro de baldes de laterais altas, com a água se movimentando e em círculos. Depois disso, desistiam e afundavam. Mas, quando os ratos eram tirados dos baldes por pouco tempo e colocados de volta na água, eles conseguiam nadar durante sessenta horas, um período 240 vezes mais longo que o suportado pelos ratos que não eram tirados da água. Como isso era possível? O dr. Richter concluiu que os ratos tirados da água se enchiam de esperança. A esperança de serem tirados novamente da água dava-lhes energia para continuar a nadar.

Caráter

Tudo o que ensinamos aos nossos filhos tem mais autoridade quando lhes damos o exemplo com a nossa própria vida. Se faço uma exigência ao meu filho, preciso dar o exemplo antes. Isso se aplica às muitas áreas que merecem ser discutidas aqui, mas, por ora, pense nestas mais importantes:

- Não posso esperar que os meus filhos tenham sede da Palavra de Deus se eles não virem meu exemplo antes. Eles precisam ver que eu leio a Palavra de Deus. Não leia a Palavra de Deus somente quando estiver deitado à noite, longe dos seus filhos. Não estou dizendo que devemos fazer uma encenação para impressioná-los.

Mas precisamos colocar certas coisas em lugares visíveis, para que eles sejam mais propensos a segui-las. O mesmo se aplica à nossa vida de oração.

- Inclua os filhos no privilégio de dar. Dê uma quantia ou um objeto de valor a eles com o único propósito de ensiná-los a dar. As ofertas para a igreja são ótimas para começar. Mas ensine-os também a dar dinheiro à pessoa sentada à porta do supermercado que precisa de ajuda para comprar comida ou outro artigo necessário. Talvez você queira discutir o assunto quando estiver no carro, voltando do supermercado para casa. Incentive a compaixão nos seus filhos. Deixe que eles vejam essas situações e participem delas desde pequenos.
- Elogie um membro da família na frente dos outros. Os elogios feitos dessa maneira produziram ótimos dividendos no nosso lar. Mas inclua também, na presença das crianças, elogios aos que não fazem parte da família. Você poderá criar esse modo de pensar, fazendo-lhes esta pergunta: "O que você mais aprecia em fulano?". Mencione o nome de um dos amigos deles ou talvez de um amigo seu. O ponto principal é fazê-los pensar no caráter que veem nas outras pessoas.
- Arrependa-se rapidamente e na frente dos outros. Se tratei alguém com grosseria diante dos meus filhos, é muito importante eu me redimir com um pedido de desculpa. Isso deve ser feito diante da pessoa que ofendi, bem como diante dos meus filhos que viram aquele comportamento inaceitável. Eles precisam ver a minha ternura em relação ao Senhor e em relação a eles. Não use esse tipo de oportunidade para transmitir uma mensagem sobre como os seus filhos devem viver. Simplesmente seja o exemplo que você deseja que eles sigam.

- A paciência é uma das virtudes mais necessárias na criação dos filhos. Muitas vezes, os pais ficam tão frustrados com uma criança que se comporta como tal que aproveitam a oportunidade para "pregar um sermão" sobre responsabilidade. Em geral, essa pregação não passa de impaciência verbal disfarçada de treinamento. Minha paciência com os meus filhos estimula-os a ser pacientes com os outros.
- O ato de servir é ensinado por meio de exemplo. O papel de servo é o mais sublime no Reino de Deus. É muito importante ilustrar essa função para treinar os seus filhos, caso contrário eles vão querer que o mundo inteiro gire em torno deles.

Propósito

Os pais têm o maravilhoso privilégio de treinar os filhos quanto à identidade, ao propósito e ao destino deles. Na verdade, nascemos para adorar a Deus. Talvez fosse melhor dizer que fomos *projetados* para descobrir e adorar aquele que se deleita em nós. Este deve ser o maior medo do inimigo da nossa alma: uma pessoa que ama e adora a Deus, e se deleita nele.

Parte do projeto divino para nós é ser o lugar da morada eterna de Deus. Não sei se poderia existir um propósito mais significativo, considerando que o Deus do Universo deseja viver em nós. Somos chamados casa de Deus. Aprender a reconhecer a presença de Deus, bem como se render a seu Santo Espírito que habita em nós, são práticas essenciais para aqueles que desejam descobrir sua razão de ser.

Quando os propósitos de Deus se tornam mais e mais pronunciados nos nossos filhos e em nós, temos o privilégio único de representar Deus. Gosto de dizer *re*presentar Jesus, porque temos a responsabilidade distinta de manifestá-lo como ele é. Estou supondo que o aprendizado dessa tarefa leva uma vida inteira, porque ainda me sinto um principiante. No entanto, não tenho autoridade para mudar a missão para algo que, a meu ver, posso fazer melhor. Isso significa quem somos e por que estamos aqui. As pessoas precisam e devem ver Jesus em nós e em nossas atitudes.

Portanto, representamos Deus no nosso modo de viver e amar e, da mesma maneira, revelamos Deus. Jesus nos ensinou: "Assim brilhe a luz de vocês diante dos homens, para que vejam as suas boas obras e glorifiquem ao Pai de vocês, que está nos céus" (Mateus 5.16). Quando revelamos Deus por quem ele é, as pessoas são atraídas automaticamente a ele e, por sua vez, o glorificam. Esse é o grande privilégio e a grande responsabilidade de todos nós. E é isso que precisamos comunicar aos nossos jovens vencedores de gigantes.

6

RESPONDENDO COM PRUDÊNCIA

JESUS NÃO VIVIA PREOCUPADO EM como reagir diante do Diabo. Ao contrário, Jesus estava focado em responder ao Pai. Essa atitude estabelece um modelo bíblico para todos nós, porque Deus não deseja que tenhamos uma reação instintiva diante de algo errado, mas que tenhamos uma resposta diante do que é certo. Esse entendimento ajuda cada um de nós em todos os nossos relacionamentos, mas é um método especialmente prático para a vida em família.

Existem passagens na Bíblia que descrevem com precisão a essência da natureza de Deus como exemplo para todos os relacionamentos do Reino, mas as duas principais são estas:

> O amor é paciente, o amor é bondoso. Não inveja, não se vangloria, não se orgulha. Não maltrata, não procura seus interesses, não se ira facilmente, não guarda rancor.

> O amor não se alegra com a injustiça, mas se alegra com a verdade. Tudo sofre, tudo crê, tudo espera, tudo suporta. O amor nunca perece [...] (1Coríntios 13.4-8).
>
> Nada façam por ambição egoísta ou por vaidade, mas humildemente considerem os outros superiores a vocês mesmos. Cada um cuide, não *somente* dos seus interesses, mas também dos interesses dos outros. Seja a atitude de vocês a mesma de Cristo Jesus (Filipenses 2.3-5).

Essas passagens são obras-primas dos relacionamentos. Embora a primeira passagem, parte do capítulo do amor escrito à igreja de Corinto, seja o ponto auge do assunto sobre o significado do amor verdadeiro, foi a última passagem que agiu sobre o meu pensamento. Para mim, nesse texto das Escrituras o apóstolo Paulo ilustrou a aplicação terrena dos princípios que ele discutiu no capítulo do amor. Em Filipenses 2, Paulo trata da postura da mente para ver os outros de modo correto — *como se fossem mais importantes que nós*. O texto contém a disciplina de aceitar os *interesses dos outros*, acompanhada da exortação de aceitar isso como uma *atitude* superior a todas as outras — a mesma que Jesus teve. Entendo que essa atitude é muito mais que uma ação isolada. Por meio da prática, ela pode e deve ser a nossa reação mais natural a um desafio ou oportunidade.

Nosso método

No início do nosso casamento, Beni e eu fizemos um acordo de que nunca cumprimentaríamos um ao outro de modo negativo quando um de nós chegasse em casa depois de um longo dia de trabalho. Com exceção de situações de emergência, nunca mencionamos um problema quando nos cumprimentamos na porta. Mesmo que as crianças tivessem sido indisciplinadas e necessitassem de um "encontro" com o papai, os cumprimentos entre Beni e mim eram sempre calorosos e positivos.

Falando sinceramente, algumas pessoas não sentem vontade de voltar para casa após o trabalho. Não sabem o que vão encontrar quando atravessarem a porta. Haverá gritos, agressões verbais ou um desabafo dos problemas acumulados durante o dia? Em vez de voltar para casa, muitas pessoas vão a um bar, trabalham até mais tarde ou encontram outra atividade para preencher o tempo no fim do dia. A ideia de se envolver com sofrimento e conflito tem um efeito subconsciente nas programações e prioridades das pessoas. Se tivermos esse modo de encarar a vida, cumprimentando um ao outro de modo negativo, treinaremos o cônjuge a não querer voltar para casa ou a querer se encontrar com um grupo no fim do dia.

Quando houver dificuldades que necessitam ser discutidas, definam um momento conveniente para ambos. Se um dos cônjuges teve de enfrentar um problema o dia inteiro e não foi dada ao outro a oportunidade de reconsiderar o assunto, é realmente injusto descarregá-lo no outro quando a primeira pessoa está pronta para falar. Demonstrar respeito pela outra pessoa é mais ou menos assim: "Quando você saiu de casa hoje cedo, senti que não deu atenção à minha tentativa de pedir a você ajuda sobre um assunto. Sei que não fez por mal, mas isso me aborreceu o dia inteiro. Podemos nos sentar no fim da noite, depois que as crianças estiverem dormindo, para conversar sobre o assunto em consideração a mim?".

Não posso prometer que sempre será uma conversa fácil, mas esse método de respeito e honra será vantajoso.

Tenho um amigo que foi caçar cervos. Assim que puxou o gatilho para atingir o animal, ele avistou mais um caçador do outro lado do cervo, tentando também atingi-lo. O meu amigo atirou no animal, mas recebeu um tiro acidental do outro caçador. Ele viveu para contar a história, mas a lição sempre me ajudou a ilustrar a importância de enfrentar os desafios juntos.

Se o marido ou a esposa, ou os pais e os filhos, enfrentarem problemas isoladamente, haverá sempre a chance de que o outro membro da família receba o *tiro*, por assim dizer. Contudo, se o marido e a esposa se posicionarem lado a lado para enfrentar um problema, poderão abordá-lo com menos probabilidades de ferir o outro. Um ótimo ponto de partida é dar um ao outro o benefício da dúvida.

A guerra da comunicação

A comunicação não precisa ser uma guerra. E nunca foi uma guerra para Beni e para mim. Temos muito respeito um pelo outro e não nos tratamos como inimigos nem como alvo ao lidar com um problema. Chamo de guerra o problema da comunicação porque é aí que os poderes das trevas trabalham com tanto empenho para nos dividir. Dividir todos nós. Ter sucesso na comunicação e ensinar essa lição aos filhos nos tornou mais favorecidos, aumentou o sucesso e a felicidade na vida em uma comunidade na qual existe confiança entre a família e os amigos.

Ensinar a arte da boa comunicação aos filhos começa em casa. É necessário envolver um processo de discordância e dor. Apresento algumas ideias sobre esse belo assunto que tem ajudado Beni e eu a ter sucesso nessa área com a nossa família:

- Seja exemplo de como se comunicar bem. A boa comunicação não é apenas expressar o nosso ponto de vista. Ela tem como foco principal entender a pessoa com a qual estamos falando. Maridos e esposas preparam os filhos para essa situação. As crianças seguem os exemplos dos pais. Dirigir-se com menosprezo a alguém é um insulto, e ridicularizar alguém é intolerável, porque afasta a pessoa de nós.
- A boa comunicação ocorre quando as pessoas não se sentem ameaçadas por ter de emitir uma opinião. Não reagir com oposição ao cônjuge ou aos filhos é um longo caminho para alcançar essa virtude desejável.
- Fale a verdade em amor (v. Efésios 4.15). Falar a verdade aos outros é muito importante, mas só se for dita com amor. O amor respeita, valoriza e celebra a outra pessoa. Isso, sim, é comunicação.
- Seja exemplo de humildade e confesse os seus erros. Quando a família inteira vir o erro feio que você cometeu, confesse-o a todos. Por exemplo, elevar o tom de voz, ser impaciente ou gritar com outro motorista são coisas que você pode confessar e depois orar com a família inteira.
- Demonstre preocupação por alguém da família que esteja desanimado ou abatido. Respeite-o se ele ou ela não quiser falar sobre o assunto no momento. Honre essa pessoa dando-lhe um pouco de tempo para pensar, mas mostre apoio com amor. Algumas crianças têm sérias dificuldades em falar sobre seus sentimentos.

Esse é um desafio constante para os pais, porque queremos que os nossos filhos falem bastante nos momentos em que eles sentem pouca vontade de desabafar. Aprenda a extrair sentimentos dos seus filhos em momentos de entusiasmo ou alegria, e não quando houver um problema. É mais fácil desenvolver essas habilidades de comunicação quando não existe a pressão de desapontamento ou fracasso para lidar com ela.

- É sempre bom repetir com suas palavras o que a outra pessoa disse, para você ter certeza de que as entendeu. Eu encorajava essa atitude no aconselhamento conjugal. É dolorosamente estranho ver como os casais vivem em mundos diferentes, embora estejam tentando repetir o que o outro disse pouco antes. Quando há um grande conflito, as pessoas distorcem ou veem o lado negativo do que o outro acabou de dizer. Se repetir o que o outro disse, você lhe dará a chance de corrigir sua perspectiva e ele também verá que você se interessa por ele.
- Não pense que você conhece os motivos da outra pessoa. Esse procedimento evitou toneladas de dores de cabeça e evitou causar divisões. Aprender a fazer isso como pai ou mãe e ajudar os filhos a desenvolverem essa habilidade fará maravilhas por eles durante a vida inteira. A Bíblia diz o seguinte a respeito de Deus: "Sim, só tu conheces o coração do homem" (1Reis 8.39b). Pensar que sabemos aquilo que Deus diz que não podemos saber nos leva a uma grande decepção. Há um verdadeiro espírito maligno que adoraria incutir-nos desconfiança, a fim de aumentar a divisão em nossos lares e amizades. É melhor ficar longe disso e aprender a dar às pessoas o benefício da dúvida. Se Deus o advertir de permanecer longe de alguém, obedeça-lhe a qualquer custo.

Mas você não precisa imaginar coisas às quais Deus não lhe está dando a você acesso.

- A *conversa íntima* é o objetivo da comunicação. Ela envolve a experiência de ter um profundo relacionamento emocional ou espiritual. Embora não seja possível ter essa experiência com todas as pessoas, devemos ter a ambição de ser um amante autêntico da verdade e das pessoas em qualquer medida que Deus nos tenha proporcionado. A boa comunicação não é apenas um meio de valorizar a nossa opinião. Isso é desabafo, quer emocional quer não. A comunicação, a *conversa íntima*, gira em torno de ouvir, bem como de falar. As pessoas mais importantes da nossa vida são a família. Aprenda a ter uma conversa íntima com elas, e você será vitorioso em tudo o mais.
- Aprendi com Beni a orar para ter um coração compreensivo. Ouvia-a fazer essa oração logo que nos tornamos pais. Foi brilhante. O coração compreensivo nos ajuda a não interpretar erroneamente uma situação. Evita que sejamos defensivos, o que quase sempre prejudica o objetivo da comunicação.
- A boa comunicação é mais plausível quando damos grande valor à pessoa com a qual estamos falando. Temos menos tendência de ser agressivos ou grosseiros. O meu pai costumava dizer: "Quando você lava os pés de outra pessoa, descobre por que ela anda daquela maneira". Ter um coração de servo ajuda a ter sucesso na comunicação.
- A boa comunicação exige tempo. Seja espontâneo, mas nunca coloque a outra pessoa em situação de desvantagem. Se necessário, aprenda a separar um tempo, bem como a respeitar os planos da outra pessoa. Às vezes, a comunicação é muito importante para ser apenas um item na agenda.

- Use o humor. Ria de si mesmo, mas não use o humor para desrespeitar ou ridicularizar. Tenho amigos que usam o humor para criticar, e eles acham que isso não machuca porque a outra pessoa ri. Grande parte das risadas em grupo diante da crítica é composta de risadas forçadas, ou uma tentativa de mostrar que a pessoa ainda tem valor, apesar da crítica. Mas não significa que o humor foi bem recebido ou valorizado. Sua credibilidade é grandemente prejudicada sempre que você usa o humor para ridicularizar ou magoar outra pessoa.
- Um bom comunicador sempre constrói uma arena de segurança para a outra pessoa falar. Significa que a opinião dela é importante para mim, porque a valorizo como pessoa. Isso cria um ambiente pacífico no qual a troca de experiências se torna possível.
- As pessoas que possuem uma boa dose de autoestima parecem se comunicar melhor, porque não têm a propensão de reagir negativamente diante de um mal-entendido. A identidade delas não depende da aprovação do outro, portanto elas são capazes de resistir melhor diante de conversas desafiadoras, sem reagir negativamente. Se devo amar os outros como amo a mim mesmo, é lógico que devo amar a mim mesmo para amar os outros.
- Todas as vezes que alguém da minha família magoava outro, ele era sempre instruído a se desculpar. Quem pedia desculpa não podia dizer simplesmente: "Sinto muito". Ele precisava dizer pelo que estava pedindo desculpa. Em outras palavras, precisava confessar seu pecado ao outro: "Sinto muito por ter comido o seu doce". O que recebeu o pedido de desculpa não devia dizer apenas "Tudo bem" ou "Eu o perdoo". Precisava dizer: "Eu o perdoo por ter comido o meu doce". Se eles se

> recusassem ou necessitassem mais tempo, deviam ir para o quarto para pensar no assunto. Depois de cerca de dez minutos, eu ia ao quarto deles e os ajudava a resolver o assunto. Ser específico favorece o arrependimento e a cura sincera. O tom de voz também era muito importante para mim. Tinha de ser meigo e sensível, não automático e rude. A amargura afeta o atirador, não o alvo.

Esses são apenas alguns princípios que tentamos pôr em prática. Vale a pena o tempo gasto para praticar e desenvolver energia nessas diferentes áreas de comunicação, porque elas afetarão os seus filhos pelo resto da vida.

Um aspecto que eu gostaria de mencionar a respeito da comunicação é o uso desenfreado de aparelhos eletrônicos hoje em dia, que é um problema maior do que costumava ser. As crianças e, para dizer a verdade, todos nós, passamos a ter muito mais coisas para nos envolver: celulares, *tablets*, computadores, acesso à internet. Adoro tudo isso. Os jogos no celular são recreativos e, a meu ver, até revigorantes. Esses aparelhos são divertidos, mas também podem distorcer valores e criar um foco estreito e antissocial que prejudica os relacionamentos e a comunicação. É prudente estabelecer limites para você e para os seus filhos nessa área. Nada de mensagens de textos, de celulares ou de qualquer outra coisa na hora da refeição. Dê o exemplo. Quando conversar com os seus filhos, dedique atenção total a eles e olhe em seus olhos. Não fique dividido, olhando para o celular, a não ser que se trate de uma emergência. Ensine os seus filhos a se comunicarem com os outros da mesma maneira, com a mesma dose de respeito. Use os instrumentos eletrônicos com sabedoria, certificando-se de que continuam a ser ferramentas para melhorar a vida.

Não permita que sejam um concorrente para os relacionamentos e a família. Se necessário, restrinja o uso dessas coisas. Valorize as pessoas em primeiro lugar e verifique até que ponto os seus filhos estão indo bem na vida e até que ponto se relacionam com as pessoas.

Interrupções com propósito

Em várias ocasiões, os meus filhos interrompiam a minha conversa com outro adulto. Embora tenha sido frustrante algumas vezes, eu pedia licença ao adulto para interromper a conversa por um instante. Dava, então, toda a atenção ao meu filho que era (e ainda é) uma das quatro pessoas mais importantes de minha vida. Por exemplo, se um dos garotos nos interrompia, eu lhe perguntava o que ele tinha a dizer e lhe dava total atenção. Em geral, ele me interrompia para mostrar mais um lagarto que havia pegado ou um objeto que tinha conquistado em outra aventura igualmente grandiosa, ou então como machucara o dedo enquanto brincava. Era importante para ele e consequentemente importante para mim também.

Percebo como o meu comportamento é diferente da norma, mas essa diferença vale a pena ser destacada aqui porque rende dividendos ao longo do tempo. Fiz os meus filhos se sentirem valorizados e, ao mesmo tempo, ensinei-lhes a valorizar os outros. Quando eles me interrompiam, eu lhes dava toda a atenção até ter celebrado sua mais recente conquista ou cuidado de seu ferimento. Depois eu lhes dava uma explicação sobre comunicação, sem fazê-los se sentir envergonhados por terem falado comigo. Dizia algo mais ou menos assim: “Fiquei impressionado por você ter pegado aquele lagarto. Aposto que foi muito difícil. Parabéns! É muito importante que eu saiba o que você está fazendo e como está se divertindo. Mas você viu que eu estava conversando com um amigo. Quero que você sempre recorra a mim em qualquer ocasião, seja qual for o assunto, mas, se achar que pode esperar alguns minutos, na próxima vez eu gostaria de terminar antes a minha conversa".

No final daquele encontro, os meus filhos sabiam com certeza de que eram as pessoas mais importantes do mundo para mim e que, por ser meu filho ou minha filha, tinham livre acesso a mim a qualquer hora. Era direito e privilégio deles. Mas eles também sabiam quanto eu valorizava, amava e respeitava os meus amigos. Eles aprenderam a respeitar os amigos de seu pai, um princípio bíblico encontrado em Provérbios 27.10. E entenderam, então, como me ajudar e a ter sucesso nessa área da vida, sem perder a chance de ter uma conversa tão importante com o papai a respeito do réptil que acabavam de conquistar.

Nosso lar — seguro e divertido

Beni era eficiente em manter nosso lar em um lugar saudável e seguro — tão bom que nossos filhos adoravam trazer os amigos para casa com eles depois das aulas. Faziam isso até quando cursavam o ensino médio, o que deve ser considerado um milagre. Beni era tão terna e acolhedora que os amigos dos nossos filhos preferiam vir à nossa casa a dedicar-se a qualquer outra atividade.

Beni também incluía outro ponto positivo na vida deles: aqueles adolescentes, tanto garotos quanto garotas, podiam conversar com ela sobre tudo, e conversavam mesmo. Ela sempre os tratava com estima e respeito, mas era totalmente sincera. E mais: nunca ficou chocada com algo que eles lhe diziam, o que os fez sentir-se valorizados e seguros. Essa atitude colocou-a em um lugar de grande influência em um grupo de rapazes e moças que vivia desconectada da maioria dos adultos. Graças à força, sabedoria e delicadeza de Beni, eles pediam a opinião dela para muitos assuntos pessoais. Era bonito ver.

A nossa casa dever ser um lugar de cura, força, união, identidade e de recarregar as baterias na esfera emocional, mental e espiritual. O modo com que reagimos entre nós solidifica tudo isso como um objetivo alcançável.

Regra de expectativas

Todos os nossos filhos cursaram escola cristã desde a pré-escola até o ensino fundamental 2. Sou muito grato por ter sido capaz de proporcionar-lhes esse tipo de educação, porque influenciou significativamente a vida deles, complementando a que recebiam em casa. Curiosamente, as aulas a que eles assistiam tinham mais ou menos quatro níveis diferentes em cada uma, o que eu adorava. Eles tiveram a oportunidade de crescer em um ambiente muito diversificado, não restrito à idade de cada um.

A variedade é essencial para um desenvolvimento saudável. Isso é especialmente verdadeiro quando as crianças têm a oportunidade de crescer em um ambiente como o da escola dos nossos filhos. Quando eram pequenos e os mais novos da classe, recebiam ajuda e conselho dos mais velhos. Depois, ajudavam os mais novos quando eram os mais velhos. Essa prática é muito positiva ao longo do tempo. As crianças tinham a responsabilidade de influenciar outras e também a tarefa de aprender com as outras. As professoras eram muito positivas e se sacrificavam grandemente para que os alunos fossem muito úteis à sociedade depois de adultos.

Meus filhos sabiam que, quando trouxessem o boletim escolar para casa, eu tinha grandes expectativas. Em primeiro lugar e acima de tudo, eu analisava a avaliação da professora com relação ao comportamento deles. Aprendemos desde cedo durante aqueles anos de formação que, se conseguíssemos corrigir os nossos filhos enquanto os problemas estivessem ainda na forma de comportamento, seríamos capazes de evitar má conduta na maioria das vezes. Nos momentos de discipliná-los, eu os mandava para o quarto até que mudassem de atitude. Quando ia conversar com eles, esperava que tivessem acalmado o coração e voltassem a demonstrar ternura. Se não fosse assim, tomávamos outras medidas.

A minha maior preocupação quanto à formação dos meus filhos era o respeito que deviam ter com os professores e depois, claro, com os colegas. O comportamento é primordial. A instrução escolar é importante, mas o coração é mais importante ainda. Os professores dos nossos filhos sempre lhes deram boas notas também em comportamento, e sou muito grato por isso. Foi bom demais. As crianças observavam enquanto eu abria a primeira página do boletim com as notas referentes a isso, porque sabiam que eram importantes para mim. Conforme alguém disse certa vez, precisamos inspecionar o que esperamos. E era o que eu fazia, e os elogiava de acordo com as notas que recebiam.

Depois de olhar a nota que eles recebiam referente a comportamento, a segunda coisa que me chamava a atenção era a nota referente ao estudo da Bíblia. A escola dava aulas sobre a Bíblia pelo fato de ser cristã, e sou muito grato por isso. Em meu modo de pensar, era muito importante que eles entendessem as Escrituras. Não pelo fato de eu ser pastor. Isso nunca me passou pela cabeça. Mas para seu próprio benefício no futuro. Eu queria que tivessem sucesso na vida. E é muito difícil ser sempre bem-sucedido sem ter uma base na Palavra de Deus. Eu analisava as notas referentes ao estudo da Bíblia com grande interesse.

Depois de terminar esses dois assuntos, eu analisava o restante do boletim. Posso dizer com toda a certeza que, se eles tirassem boas notas em ambos, o resto seguiria o mesmo caminho. E era assim que funcionava. Quando eles se comprometiam a guardar corretamente os assuntos do coração e se dedicavam à Palavra de Deus, tudo o mais se encaixava. Na verdade, eles podiam até receber notas baixas em outras matérias, mas eu ficava muito feliz se a atitude do coração e o estudo da Bíblia fossem bons. Para mim, é isso que parece ser construído quando temos um panorama maior em mente. E, se os gigantes internos das crianças são vencidos, elas têm mais condições de lidar com os gigantes da sociedade.

Habilidades *versus* coração

Os assuntos do coração foram sempre o nosso foco principal na criação dos filhos. Provérbios 4.23 é um versículo vital para mim há cerca de quarenta e cinco anos: "Acima de tudo, guarde o seu coração, pois dele depende toda a sua vida". Deus também tem um interesse fundamental nesse versículo, porque descreveu Davi como um "homem segundo o meu coração" (cf. Atos 13.22). Isso é realmente incrível. Deus conhece o vencedor de gigantes mais famoso da história mundial por causa de seu coração. Davi tinha um coração voltado para Deus. Isso é brilhante!

Muitos anos atrás, o meu pai quis contratar um pastor dedicado à música. Na época, eu era pastor auxiliar, e o meu pai mantinha todo o pessoal informado a respeito de seu progresso. Ele precisava de alguém com conhecimento de corais, produção de televisão, orquestra e muito mais. Trouxe pessoas qualificadas do país inteiro para Redding e passou tempo com elas, entrevistando-as como possíveis candidatas ao cargo. Eram pessoas muito importantes no país, altamente qualificadas e com ministérios extraordinários.

Na hora de tomar a decisão, o meu pai se reuniu com o pessoal da igreja para nos contar o resultado das entrevistas. Nunca me esquecerei daquela conversa. Depois de falar das pessoas que havia trazido a Redding para entrevistá-las, contou que escolhera alguém com muito talento musical, mas que nunca tinha feito nada daquilo que esperávamos que fizesse. Ele prosseguiu com este comentário um tanto chocante: “Mas ele tem um coração igual ao nosso”.

O método usado por meu pai foi que as habilidades podem ser ensinadas, mas o coração é outro assunto completamente diferente. Ele contratou Bob Kilpatrick para fazer parte da nossa equipe. Bob e sua família são amigos muito especiais até hoje. Tudo gira em torno do coração.

Naquele dia, aprendi uma lição que permanece comigo como um belo exemplo dos valores que influenciam boas decisões. Habilidades são importantes, mas podem ser aprendidas. O coração é maior que as habilidades. Esse método continuou como o nosso alvo principal para treinar filhos e netos.

Delegação de autoridade

É importante para mim que os meus filhos entendam o tema da autoridade com base na perspectiva de Deus. Se um policial fizer sinal para pararmos no acostamento porque estamos transgredindo uma lei de trânsito, não podemos seguir em frente só porque sabemos que ele é um péssimo marido e pai. Paramos por causa da insígnia e da farda. Ele representa a lei, e precisamos respeitá-la.

Os nossos filhos sabiam que a babá que contratamos para cuidar deles, a professora que os ensinava na escola ou o técnico que os ajudava a jogar beisebol eram pessoas providas de autoridade. Autoridade delegada por mim. Se eles os desrespeitassem, estavam me desrespeitando. É importante lembrar que eles também sabiam que podiam desobedecer às ordens daquela pessoa se tais ordens contrariassem a Palavra de Deus e a direção instituída para a nossa família.

Lembro-me de que tive de ensinar essa lição importante a dois garotinhos dos quais cuidamos, de um abrigo para menores. Eles haviam visto o pai maltratar a mãe e tinham menos respeito por Beni que por mim. Quando eles a desrespeitavam, eu os chamava ao lado e dizia: "Ela é a minha esposa. E vocês não podem tratar a minha esposa dessa maneira!".

Eles começaram, então, a associar a autoridade de Beni à minha. Quando necessário, eu dizia o mesmo aos meus filhos. Essa é uma das maneiras de ensinar o conceito de delegação de autoridade. Se as crianças desrespeitassem a babá, estavam me desrespeitando. Era vital incutir nelas aquele bloco de construção para a vida, a fim de que vissem quem tinha autoridade sobre a vida delas.

Penso que podemos citar facilmente algumas exceções, nas quais uma dessas pessoas a quem delegamos autoridade desrespeita uma criança ou toma parte em uma atividade ilegal, o que é errado, claro. Ninguém precisa submeter-se a tal absurdo. No entanto, a maioria das objeções em relação à autoridade não tem relação nenhuma com atividade ilegal ou até insensata. Trata-se apenas de uma discordância com a pessoa que recebeu autoridade.

Conversamos muito sobre os valores fundamentais, porque eles ajudam a definir a cultura. Para vivê-los na prática, é necessário entender a autoridade no Reino de Deus. Há uma excelente história sobre um centurião que contou a Jesus que seu servo estava enfermo e sofrendo muito (v. Mateus 8.5-13; Lucas 7.1-10). Jesus disse que iria curá-lo. O centurião disse que não seria necessário. Bastava Jesus dizer uma palavra, e seu servo seria curado. E o centurião prosseguiu dizendo que ele era um homem sujeito a autoridade, e os que estavam sob seu comando faziam o que ele ordenava. O centurião entendeu! Estar sob a autoridade de Deus é o que nos dá autoridade sobre as questões da vida danificadas por obras das trevas.

Se você deseja impressionar Deus, tente experimentar esse tipo de fé associada ao raciocínio divino. O centurião romano impressionou Jesus de forma extraordinária. Ele continuou a se explicar: "Eu represento uma autoridade maior, portanto os que estão sob o meu comando me obedecem". Esse conceito de autoridade é tremendo e de fato está muito ausente na cultura de hoje, na qual a autoridade é muito pouco valorizada. Isso nos é prejudicial ao longo do tempo, porque nos tornamos incapazes de agir como Jesus agiu.

Crianças cheias de poder

As crianças precisam saber que têm grande poder para fazer escolhas e que não devem ser controladas pelos outros. Queremos que pensem por si mesmas, mas queremos também que valorizem as pessoas que Deus pôs na vida delas. Isso inclui pessoas com autoridade sobre elas. E, por serem cheias de poder, as crianças conseguem ter sucesso em respeitar a autoridade e se submeter a ela, principalmente quando veem primeiramente em nós o exemplo da autoridade do Reino ser posta em prática.

Como pais e mães, é também vital responder em primeiro lugar com prudência, não instintivamente, em nossos relacionamentos e diálogos. Responder com prudência é exatamente isto: ser o primeiro a entender as necessidades, dons, propósitos e chamado dos nossos filhos. Quando somos exemplos de reação instintiva, ensinamos a nossos filhos a evitar os problemas da vida e, ao mesmo tempo, reforçamos a ideia de que eles estão sempre certos e que qualquer outra pessoa que aja de modo diferente está errada. Quando eles nos veem responder com prudência em relação a si próprios e a outras pessoas, nós os ensinamos a valorizar a pessoa, bem como o problema em questão.

Damos o exemplo de responder com prudência em relação à vida de acordo com o tratamento que dispensamos aos nossos filhos. Eles realizarão muito mais coisas e as farão mais rápido que a maioria, se aprenderem conosco a beleza de responder com prudência em vez de reagir instintivamente. Essa é a natureza de uma vida que respeita os outros.

7

EM DEFESA DA DISCIPLINA BÍBLICA

Nenhuma instituição é mais forte que sua capacidade de disciplinar. Não importa se estamos falando de um país, uma organização ou uma família, a disciplina é vital. É o outro lado da moeda cuja face nos mostra o assunto da recompensa. Sem disciplina, uma cultura inteira tende a ter direito a tudo e resulta na vergonha que acompanha escolhas insensatas e desregradas na vida. Nos dias atuais, é comum criarmos filhos com pouca ou nenhuma disciplina, e depois reclamamos da falta de autodisciplina deles. Essas duas realidades estão interligadas. A ausência de disciplina externa conduz à ausência de disciplina interna.

Há poucos pontos polêmicos mais propensos a receber uma reação instintiva que o tópico da disciplina. Existem boas razões para isso, e algumas bastante negativas. Uma das negativas é a pressão social, que deve ser completamente inútil aos cristãos verdadeiros. O público é valorizado; a opinião pública, não. Responderemos a Deus pelas escolhas que fizermos. Isso é o que importa.

Um bom motivo para reagir contra esse assunto é o simples fato de que tem havido muito abuso. A loucura existe em um lar atrás do outro, tudo em nome da disciplina. A raiva, a violência e o ódio afloram. Pessoas que nunca lidaram com os próprios problemas quase sempre os descarregam nos filhos. Mas reagir aos abusos dos outros nunca nos leva à verdade. Não usar a ferramenta da disciplina é um pouco melhor que abusar da ferramenta da disciplina. Tanto o abuso quanto a negligência mostram resultados desastrosos. É melhor nos dedicarmos a encontrar o modelo bíblico e segui-lo cuidadosamente.

A disciplina resulta de um coração de amor, na tentativa de moldar o coração de uma criança com responsabilidade e propósito. Deus estabelece o padrão para essa área da nossa vida:

> Suportem as dificuldades, recebendo-as como disciplina; Deus os trata como filhos. Ora, qual o filho que não é disciplinado por *seu* pai? *Se vocês não são disciplinados*, e a disciplina é para todos os filhos, então *vocês não são filhos legítimos, mas sim ilegítimos.* Além disso, tínhamos pais humanos que nos disciplinavam, e nós os respeitávamos. Quanto mais devemos submeter-nos ao Pai dos espíritos, para assim vivermos! Nossos pais nos disciplinavam por curto período, segundo lhes parecia melhor; mas *Deus nos disciplina* para o nosso bem, *para que participemos da sua santidade. Nenhuma disciplina* parece ser motivo de alegria no momento, mas sim de *tristeza.* Mais tarde, porém, *produz fruto de justiça e paz para aqueles que por ela foram exercitados* (Hebreus 12.7-11).

Leia de novo esses versículos, dando atenção especial às palavras grifadas. O propósito e os resultados da correção de Deus são muito bons. A responsabilidade que temos de disciplinar os nossos filhos se baseia nesse exemplo. Deus nos corrige porque nos ama. Ponto. Se ele quisesse nos quebrar ou nos destruir, não teria de fazer muito esforço. Extravasar a raiva nunca é o objetivo de Deus, porque sua longanimidade é um bilhão de vezes maior que a nossa mais ousada imaginação de longanimidade. O alvo dele é transformação.

Se Deus não nos disciplinar, somos filhos ilegítimos. Filhos ilegítimos não têm os mesmos direitos dos filhos verdadeiros. As implicações disso são assombrosas. Deus dedica tempo àqueles que lhe pertencem, e trabalha para formar seu caráter neles. Mas aqueles que Deus não disciplina não lhe pertencem. Ele dá atenção carinhosa àqueles que lhe pertencem, porque deseja transmitir-lhes sua *santidade* e *fruto de justiça e paz.* Esses são os resultados de receber a correção de Deus.

Dentro do contexto da família, a disciplina dá identidade, caráter e propósito à criança. Incutimos nos filhos a conscientização do motivo pelo qual estamos vivos e do que nossa família foi incumbida de fazer no mundo. Os pais que não disciplinam os filhos deixam de dar-lhes o impacto total de sua herança e nome.

Pessoas importantes e poderosas

Quero dizer desde o início que acredito em castigo físico. Embora muitas pessoas reajam diante da minha posição sobre o assunto, dizendo que se trata de um modo bárbaro de criar filhos, creio que se trata de uma forma bíblica para lidar com determinados problemas. Não deve ser a única forma de disciplina, nem deve ser usada em todas as situações. Mas é uma das ferramentas que traz resultados aprovados por Deus se usada corretamente.

Castigo físico não significa que uma pessoa adulta esteja punindo uma criança pequena por ter desobedecido às ordens recebidas. Não significa dar aos adultos a chance de se vingarem desses seres pequeninos que possuem vontade própria. A disciplina correta precisa ser aplicada com humildade e amor, e o objetivo é ajudar a refinar os valores e o foco da criança.

Penso que a maioria de nós concorda que o problema verdadeiro sobre esse assunto *é quem aplica o castigo físico*. Os abusos cometidos em nome da disciplina têm assustado uma geração inteira. Mas aqueles que foram criados sem disciplina (inclusive sem castigo físico) não têm limites. Perdem o senso de direção e foco, porque a lei é feita por eles próprios.

O versículo a seguir sobre *revelação* divina é muito conhecido, e por bons motivos. No entanto, a parte mais espantosa desse texto é que ele vem depois de três versículos sobre correção e disciplina, que discutiremos daqui a pouco. O versículo nos apresenta, em certo sentido, o resultado de crescer sem disciplina:

> Onde não há revelação divina,
> o povo se desvia;
> mas como é feliz quem obedece à lei! (Provérbios 29.18).

A disciplina, quando correta, ajuda a refinar o propósito e a visão de uma pessoa. Vence a inclinação da criança de ser descuidada e vacilante, e produz restrições divinas. Nunca deve ser aplicada sob o calor da raiva. Visa sempre ao benefício e ao bem-estar da criança.

Embora o castigo físico não tenha sido a única maneira de educar os nossos filhos, ele faz parte das ferramentas que usamos para moldá-los. Para ter certeza de que o meu coração estava certo quando eu aplicava esse tipo de correção aos meus filhos, muitas vezes eu os mandava para o quarto enquanto orava por alguns minutos. Eu detestava usar esse método. Não sentia nenhuma satisfação. E, apesar da minha dor não estar no mesmo nível da dor do meu filho, eu sofria muito por eles. Posso dizer sinceramente que não castiguei os meus filhos fisicamente sob o calor da raiva. Aprendi desde cedo a reagir com prudência, não instintivamente.

A disciplina necessita ser uma ocasião, não uma explosão de raiva. A verdadeira disciplina requer tempo. É muito fácil errar nesse ponto, porque as crianças nunca desobedecem em um momento conveniente. Desobedecem quando recebemos visitas ou talvez no supermercado. Quero dizer o seguinte: normalmente eles sabem como e onde podem sair impunes na maioria das vezes sem sofrer.

Significa que precisamos ter sabedoria para lidar com os nossos filhos, seja onde for. Sofrer constrangimento tem forçado muitos pais a agir com raiva, porque a criança pode estragar uma noite inteira quando há visitas na casa. Ou alguns pais partem para outro extremo e deixam a criança desobedecer sem reprimi-la. Mas, se não reagirmos nos momentos difíceis, aquela raiz de independência ilegítima crescerá cada vez mais e exigirá ações mais sérias posteriormente. Separe um tempo para agir corretamente, o que poupará decepção e dor mais tarde.

O treinamento que nunca tivemos a intenção de dar

Muitos pais usam as reações emocionais que vêm à tona em forma de raiva e gritos, para que os filhos lhes obedeçam. Os pais reclamam porque a criança não lhes dá ouvidos e dizem que só conseguem resultado quando gritam. Isso ocorre porque os pais treinaram o filho dessa maneira.

As crianças aprendem que nem sempre precisam fazer o que ordenamos, porque não são disciplinadas após a desobediência. Segue-se a raiva. Por exemplo, se eu digo ao Joãozinho que guarde seus brinquedos e ele não me obedece, há necessidade de uma ação da minha parte. Em geral, o pai ou a mãe levanta a voz depois que o Joãozinho não faz o que lhe foi pedido, dizendo que ele terá problemas se não obedecer. Alguns pais contam até dez para dar ao Joãozinho a chance de obedecer. Essa atitude treina-o para desprezar as instruções e reagir à raiva ou às ameaças acumuladas. Ainda assim, o Joãozinho não guarda os brinquedos. Só depois que o pai ou a mãe se frustra e grita é que o Joãozinho percebe que as palavras ditas em voz alta são acompanhadas de ação.

Esse processo ensina o Joãozinho a não obedecer às palavras, mas a obedecer ao volume de voz ou à condição emocional. Ele sabe que isso sempre intensifica antes de tomarmos a ação para respaldar o que ordenamos. As crianças querem evitar o ato de disciplina, se possível. O problema é que ainda existe tolice presa ao coração de uma criança, um assunto que não pode ser desconsiderado. As crianças desejam seguir o próprio caminho pelo tempo que for possível. A nossa falta de ação treina-as a reagir à emoção, não às palavras. No entanto, na maioria dos casos, uma semana de conversa calma e instruções claras promoverá uma mudança no lar, desde que as instruções dos pais sejam imediatamente seguidas de ação. Não leva tempo para fazer a criança voltar a valorizar o que dizemos em vez de reagir à nossa emoção.

É importante entender que nunca é tarde demais para começar a ter um propósito na missão de ser pai ou mãe. Se seus filhos forem mais velhos (pré-adolescentes ou adolescentes) e você não tem sido um pai ou uma mãe com propósito, sente-se e tenha uma conversa franca com eles. Diga: "Não tenho feito o que deveria como pai (ou mãe). Eu não sabia disso, e agora estou tentando mudar porque acredito em vocês e quero que tenham sucesso na vida". E converse sobre o estabelecimento de limites novos e necessários. Crianças de qualquer idade possuem uma necessidade inata de limites; querem conhecer novidades em ambiente seguro. Tente entender o que funciona bem para os seus filhos na idade em que se encontram. Comece a elogiá-los e depois recompense-os quando agirem corretamente, mas deixe claro quais serão as consequências de fazer o que é errado. Crie um ambiente com coisas positivas, mas estabeleça consequências para decisões erradas. E depois se mostre sensível aos seus filhos em vez de reagir emocionalmente como costumava fazer. Esse método mudará o clima da casa toda.

O meu processo pessoal de disciplina

Todas as vezes que a disciplina estava em questão na nossa casa, a responsabilidade era minha. Nunca quis que Beni lidasse com esse assunto quando eu estava em casa. O meu procedimento era este:

- Eu mandava a criança para o quarto no momento em que a disciplina era necessária. Dependendo da idade ou do grau de atenção dela, eu lhe dava de dois a vinte minutos para pensar no erro que havia cometido. Durante esse tempo, eu orava para ter certeza de que estava agindo corretamente em favor dela, não em meu favor. Queria melhorar a vida dela por meio da disciplina, não infringir castigo.
- Depois eu entrava no quarto e conversava com ela sobre o erro cometido. Houve ocasiões em que descobri que não havia transmitido corretamente as nossas expectativas a respeito dela. Se esse fosse o caso, eu analisava a situação com ela para ter certeza de que agora havia entendido o que esperávamos dela. Não havia nenhuma forma de castigo nessa situação. Mas, logo a seguir, eu dizia que esperava uma mudança de comportamento assim que saísse do quarto.
- Se fosse um problema do coração, como uma atitude negativa, eu lhe dava tempo para pensar no assunto enquanto ela estivesse no quarto. Se sentisse que seu arrependimento era sincero, ela voltava a se reunir com o resto da família. Se não, eu tirava alguns privilégios ou lhe dava mais tempo, se considerasse produtivo.
- Os nossos filhos sempre assumiram a responsabilidade por seus erros. Se haviam agido errado com alguém, tinham de se desculpar e assumir a responsabilidade total por seus atos. Nunca permitíamos que dissessem mais ou menos isto: "Sinto muito pela metade da briga". O arrependimento verdadeiro não acusa os outros. Sempre que possível, eles tinham de se acertar com a outra pessoa. Lembro-me de um dos meus filhos se desculpando com seu amigo, e depois chegou até a se desculpar com o pai do amigo, assumindo total responsabilidade por seus atos.

- Se o castigo físico estivesse em questão, eu me certificava de que era uma necessidade, não uma mera pancada com a mão. Era necessário tempo para ser eficiente, o que significa que eu tinha de me afastar dos amigos ou das atividades nas quais estava envolvido para agir corretamente. Eu nunca castigava com a mão. As mãos são feitas para carinho, afirmação e amor.
- Às vezes, eu aplicava correção tirando privilégios. Em outras, acrescentava responsabilidades.
- Eu não corrigia as crianças na frente de amigos. O constrangimento não fazia parte do negócio. Eu até permitia que ficassem no quarto alguns minutos depois do castigo físico, para que não se sentissem constrangidas diante do irmão ou da irmã.

Acontecia uma coisa extraordinária sempre que eu tinha de disciplinar os meus filhos. A criança que recebia a disciplina quase sempre vinha sentar em meu colo depois de passar o tempo determinado por nós no quarto. Eu nunca pedi que fizessem isso. Mas os meus filhos sabiam que eu os amava mais que tudo. O assunto que provocara a disciplina nunca vinha à tona de novo. Assim que eles assumiam responsabilidade pelo erro cometido e se acertavam, eram tratados como se nada tivesse acontecido. A família inteira era responsável por perdoar àquele que foi disciplinado.

O meu arrependimento

Lembro-me de várias ocasiões em que tive de me arrepender diante da minha família. Se havia sido grosseiro ou impaciente com algum deles, era minha vez de mostrar arrependimento. Sempre que necessário, eu mencionava especificamente o erro cometido. Lembro-me de uma ocasião em que um motorista me deu uma "fechada" enquanto eu estava dirigindo pelas ruas de Santa Cruz, Califórnia. Os meus pais moravam ali havia anos, e conseguíamos tirar uma semana ou duas de férias todo verão para passar com eles no Johnson Hilton, conforme costumávamos chamar a casa deles. Era muito divertido para todos nós.

Aquele motorista em particular, no entanto, não teve nenhuma preocupação conosco. Se tivesse visto que cometeu um erro e reconhecido, não teria havido problema. Mas não. Fiquei muito bravo por causa do seu desrespeito com minha família e nosso veículo. Não gritei nem disse palavras das quais me arrependeria depois. Mas fiquei com raiva, e descarreguei-a na buzina. Conclusão: a minha raiva foi muito irresponsável. Lembro-me de ter conversado com a minha família depois que tudo terminou e de ter confessado a minha raiva excessiva.

Depois que confessei o erro cometido, o meu filho Eric disse: "É verdade, papai. Você explodiu de raiva!".

Ele estava certo. Não foi desrespeitoso ao usar essas palavras. Foi sincero, o que valorizamos muito nos nossos filhos.

Todas as vezes que eu precisava me arrepender diante da minha família, eu pedia que orassem por mim. Eles sabiam que tudo o que eu queria era honrar a Deus, e havia falhado naquele momento. A oração deles era muito amável e perdoadora quando impunham as mãos sobre o papai, que confessou estar errado.

Se eu erro e não dou um exemplo de como agir corretamente, tenho então de dar o exemplo de arrependimento.

Lições de Provérbios sobre disciplina

O livro de Provérbios está repleto de lições e sabedoria sobre o tema da disciplina. Eis alguns provérbios sobre disciplina que não podem jamais ser negligenciados.

> Quem se nega a castigar seu filho
> não o ama;
> quem o ama não hesita em discipliná-lo. (13.24)

O amor sempre escolhe o melhor. Isso é especialmente verdadeiro no caso da disciplina, porque o amor olha para o futuro e aceita a ação que trará benefício à criança ao longo do tempo. Ternura e humildade são características essenciais para a boa disciplina. Caso contrário, seremos culpados de provocar a ira dos nossos filhos, o que é proibido (v. Efésios 6.4).

Está bem claro que Deus nos castiga porque nos ama. E devemos fazer o mesmo com grande diligência. A insensatez está ligada ao coração da criança, e é a vara da disciplina que trará libertação:

> A insensatez está ligada
> ao coração da criança,
> mas a vara da disciplina
> a livrará dela (22.15).

A vara desliga o que está ligado. Todos nós queremos que os nossos filhos cresçam com sabedoria. Mas desprezar a disciplina por causa da inconveniência ou dos ensinamentos da atualidade é forçar os filhos a que aprendam a lidar com essas questões mais tarde na vida, quando terão muito mais dificuldades de processá-las.

Nesta passagem, descobrimos que a disciplina pode resgatar a alma de uma criança:

> Não evite disciplinar a criança;
> se você a castigar com a vara,
> ela não morrerá.
> Castigue-a, você mesmo, com a vara,
> e assim a livrará da sepultura (23.13,14).

Repetindo, essa disciplina não deve ser aplicada com raiva nem por vingança, o que só serve para aumentar a insensatez da criança, criando hostilidade interior que poderá endurecer o meigo coração dela. Contudo, se a nossa disciplina for aplicada corretamente, ela poderá salvar a criança das circunstâncias diabólicas da vida. Valerá a pena ao longo do tempo.

A vara da correção não apenas afasta a insensatez da criança; também dá sabedoria:

> A vara da correção dá sabedoria,
> mas a criança entregue a si mesma
> envergonha a sua mãe.
> Quando os ímpios prosperam,
> prospera o pecado,
> mas os justos verão a queda deles.
> Discipline seu filho, e este lhe dará paz;
> trará grande prazer à sua alma (29.15-17).

A criança criada na disciplina do Senhor de maneira saudável acabará proporcionando consolo aos pais e levará grande alegria ao coração deles. Uma das grandes tragédias no lar é ver os filhos seguindo o próprio caminho. Essa atitude covarde de criar filhos desenvolve neles insensatez e a ideia de que têm direito a tudo.

Carinho e ternura

"Portanto, sejam imitadores de Deus, como filhos amados." (Efésios 5.1.) As crianças imitam os pais. É muito importante dar-lhes um exemplo a ser seguido e copiado. Ser o exemplo para elas de como viver é um dos nossos maiores privilégios. Não significa que devemos ser perfeitos. Mas elas podem aprender conosco até quando erramos. Meu amigo Shawn Bolz diz que Deus permite que os nossos amigos íntimos vejam as nossas idiossincrasias para que saibam sempre que, quando Deus nos usa, é sempre pela graça. Se essa verdade pudesse ser aplicada a um contexto específico, teria de ser no lar. Ensinamos pelo exemplo a beleza da graça.

A passagem seguinte, escrita à igreja em Tessalônica, usa a linguagem familiar para comunicar sua mensagem. Paulo queria revelar seu coração afetuoso e carinhoso para com os cristãos daquela cidade, usando a linguagem que um pai ou uma mãe usaria.

> [...] fomos bondosos quando estávamos entre vocês, como uma *mãe que cuida dos próprios filhos*. Sentindo, assim, *tanta afeição por vocês*, decidimos dar a vocês não somente o evangelho de Deus, mas também a nossa própria vida, porque *vocês se tornaram muito amados por nós*. Irmãos, certamente vocês se lembram do nosso trabalho esgotante e da nossa fadiga; trabalhamos noite e dia para não sermos pesados a ninguém, enquanto pregávamos o evangelho de Deus. Tanto vocês como Deus são testemunhas *de como nos*

> *portamos de maneira santa, justa e irrepreensível entre vocês, os que creem.* Pois vocês sabem que *tratamos cada um como um pai trata seus filhos, exortando, consolando e dando testemunho,* para que vocês vivam de maneira digna de Deus, que os chamou para o seu Reino e glória. (1Tessalonicenses 2.7-12)

Paulo usa palavras como *afeição*, *santa*, *justa e irrepreensível*, *exortando* e *consolando* para descrever seu valor por aqueles cristãos. Ele empresta termos familiares para revelar seu coração. São essas palavras que descrevem o papel privilegiado dos pais ao cuidar de seus filhos e servir a eles.

Crianças meigas, tratamento meigo

Na nossa casa, Leah foi sempre a que possuía um coração extremamente meigo. Certa vez, enquanto eu estava viajando a serviço do ministério, Beni encontrou-a chorando. Ao perguntar o motivo, Leah disse que estava chorando por causa da saudade que eu sentia de sua mãe. Antes de partir, eu havia dito a Leah que sentiria muita saudade de Beni. Talvez eu tenha exagerado! Ela ficou assustada com o que eu sentia e pensava. Valores como ternura e empatia percorrem um longo caminho para inspirar obediência perante Deus e os homens.

Leah era alguém que, em geral, eu conseguia disciplinar com o olhar. Literalmente. Se eu olhasse para ela e sua atitude não fosse a que deveria ser, ela se derretia e consertava o erro.

Cada filho é uma pessoa única e deve ser tratado de acordo com sua personalidade. A sabedoria é, de novo, a parte mais essencial para o modo de educar filhos. Ajuda-nos a reconhecer a necessidade e o processo desejados para alcançar os propósitos de Deus.

Criando adultos

Lembre-se: estamos criando crianças para serem adultos e futuros pais. São esses adultos que terão mais importância para nós nos anos vindouro. Os relacionamentos significativos com os nossos filhos enquanto são pequenos, e a parceria com eles para que tenham sucesso no futuro, farão toda a diferença do mundo à medida que se tornam adultos. Isso em si justifica a disciplina bíblica.

Ter filhos adultos que você respeite, honre e celebre é uma dádiva inestimável. Eu celebro Eric, Brian e Leah como meus filhos. Eles me dão mais alegria do que eu ganharia em um milhão de anos. Mas também eu os honro por quem eles são. *Quem* e *no que* eles podem se tornar me deixam comovido e sem palavras.

8

PREPARADOS PARA CONHECER DEUS

Os nossos filhos cresceram dentro da rotina de participar de encontros com os membros da igreja aos domingos. A igreja era um lugar de interação social, e eles amavam estar com os amigos. Tenho certeza de que esses encontros ajudaram, de certa forma, todos a aguardarem com ansiedade esse momento. Mas às vezes era difícil mantê-los sentados durante um sermão ou participando da adoração ao Senhor. Esforçávamo-nos, claro, para que esses momentos fossem úteis a todos. Mas, em geral, a criança preferia estar brincando fora do templo a ter de assistir a um culto. O mesmo pode ser dito a respeito de muitos adultos. Se não temos o desejo ardente de saber o que acontece nesses encontros, nosso comparecimento é considerado uma tarefa maçante — algo a ser suportado.

> Quem está satisfeito despreza o mel,
> mas para quem tem fome
> até o amargo é doce. (Provérbios 27.7)

Esse versículo significa que as pessoas cuja fome está saciada não apreciam sequer os prazeres da vida. Mas aquelas que têm fome (cientes da necessidade pessoal) valorizam as coisas secundárias. Isso se aplica tanto à fome espiritual quanto à fome física.

Na igreja que pastoreávamos em Weaverville, decidimos que os nossos filhos deviam assistir aos cultos conosco, e depois os liberávamos para programas especiais, o que lhes era muito agradável. Não havia atividades especiais para crianças durante as celebrações à noite. Eles permaneciam conosco o tempo todo. Achamos por bem recompensar os nossos filhos sempre que participassem conosco. Se não participassem, não havia recompensa. Na verdade, havia uma dose de correção, principalmente quando se comportavam mal. Se tivessem bom comportamento, comprávamos sorvetes, o que eles adoravam, claro. Sei que há pessoas que criticam essa forma de tratamento, chamando-o de *suborno*. Nós a chamamos de *recompensa*. O conceito bíblico que usamos se encontra em Hebreus 11.6: "Sem fé é impossível agradar a Deus, pois quem dele se aproxima precisa crer que ele existe e que recompensa aqueles que o buscam".

A má interpretação do assunto da recompensa enfraquece o entendimento e a prática da fé. Alguns dizem tolamente que não estão interessados em recompensa. Mas a recompensa é um conceito bíblico que revela a natureza de Deus, o nosso Pai. Precisamos nos adaptar a ele, sem querer que seja semelhante a nós.

Reunir e servir

Os encontros em grupo eram parte importante da composição da nossa família. Os nossos filhos cresceram sabendo que certas coisas eram inegociáveis. Estar com a família da igreja para passar momentos de adoração era uma delas. Descobrimos que as crianças se beneficiavam do que estava acontecendo, mesmo quando eram muito pequenas e aparentemente não prestavam atenção. As crianças assimilam os assuntos espirituais com muita facilidade, mesmo quando estão brincando ou desenhando. Sinto pena das crianças cujos pais permitem que escolham se desejam ou não ir à igreja. Elas deixam de receber a disciplina de fazer o que é certo quando lhes agrada e quando não lhes agrada. E, acima de tudo, não convivem em um ambiente que as ajude a construir um sistema de valores internos, no qual o espírito humano é treinado.

> E consideremos uns aos outros para nos incentivarmos ao amor e às boas obras. Não deixemos de reunir-nos como igreja, segundo o costume de alguns, mas procuremos encorajar-nos uns aos outros, ainda mais quando vocês veem que se aproxima o Dia. (Hebreus 10.24,25)

Devemos pensar intencionalmente em coisas específicas. Incentivar uns aos outros a servir bem a Deus nas reuniões com a comunidade da igreja é uma das expressões dessa mente renovada. O não comparecimento às reuniões tem-se tornado hábito para alguns, mas Deus deseja que tenhamos o hábito de nos congregar. O ato de congregar nos dá a chance de transmitir encorajamento a todos. Alguns pensam que liberdade significa desconsiderar todas as tradições e hábitos e fazer o que acham certo naquele momento. As crianças educadas nesse ambiente não se preparam para viver no mundo real e provavelmente nunca vencerão seus gigantes.

Crianças e o Espírito Santo

Ouvi uma história interessante de Iverna Tompkins, uma amiga muito querida, consagrada e experiente. Ela contou que, quando o Espírito de Deus se movia poderosamente em uma celebração, eles pediam aos pais que buscassem as crianças que estavam no departamento infantil. O fato de introduzi-las nesse ambiente santo exerce grande impacto sobre elas, porque aprendem os caminhos do Espírito Santo e aprendem a reconhecer sua presença. Esta é uma das dádivas mais preciosas que você pode dar a seus filhos: exposição à glória de Deus.

"Quando Isabel ouviu a saudação de Maria, o bebê agitou-se em seu ventre, e Isabel ficou cheia do Espírito Santo" (Lucas 1.41). Isabel era mãe de João Batista. Maria era a mãe de Jesus, claro. Quando João e Jesus ainda estavam no ventre de suas respectivas mães, algo extraordinário aconteceu. Maria entrou na casa e saudou Isabel. Nesse momento, João saltou no ventre de Isabel. Pense nisto: quando o Filho de Deus entrou na casa, embora ainda estivesse no ventre da mãe, outro bebê reconheceu sua presença e reagiu com alegria. Isabel, por sua vez, também ficou cheia do Espírito Santo por meio da experiência.

Essa história demonstra a capacidade de uma criança de reconhecer o Espírito Santo. Não subestime o que as crianças são capazes de discernir, reconhecer e aproveitar. Tenha também em mente que algumas crianças possuem sensibilidades incomuns. Não despreze isso nem se choque. Preste atenção quando os seus filhos tiverem encontros inusitados com o Senhor ou quando tiverem uma experiência em nível espiritual que você não está tendo. Faça perguntas e ajude-as a ser conduzidas a um lugar de verdadeira confiança em Deus durante essa experiência. O Senhor honra realmente a inocência e a ingenuidade. Valorize essa graça e dom incomum na vida de seus filhos.

O menino Samuel

Um dos princípios que aprendi desde cedo na vida como pai tem origem na história do sacerdote Eli e o menino Samuel. Ana era estéril e queria desesperadamente ter um filho. Orou com uma emoção tão profunda que Eli imaginou que ela estivesse embriagada. Era o desespero de Ana que ele estava vendo. Nessa situação de desespero, ninguém se importa com o que os outros pensam. Quando reconheceu a sinceridade da oração de Ana, Eli anunciou que ela teria um filho. Ana deu à criança o nome de Samuel. Depois devolveu-o a Deus, levando-o a viver e a servir com Eli no ministério:

> "Era este menino que eu pedia, e o SENHOR concedeu-me o pedido. Por isso, agora, eu o dedico ao SENHOR. Por toda a sua vida será dedicado ao SENHOR". E ali adorou o SENHOR (1Samuel 1.27,28).

Ana ofereceu um presente mais ou menos parecido com o de Abraão, porque Samuel era o cumprimento de uma promessa de Deus a ela, da mesma forma que Isaque foi o cumprimento de uma promessa a Abraão. Deus recompensou-a de acordo, e ela teve mais três filhos.

Eli ensinou Samuel a reconhecer a presença do Senhor, e o menino aprendeu os deveres sacerdotais desde tenra idade: "Samuel, contudo, ainda menino, ministrava perante o SENHOR, vestindo uma túnica de linho" (2.18). Ele estava vestido com roupas sacerdotais, porque o sacerdócio era sua missão na vida. Mas na segunda vez que a Bíblia menciona que Samuel estava ministrando ao Senhor, ela diz que ouvir a voz de Deus era um fato raro naquela época: "O menino Samuel ministrava perante o SENHOR, sob a direção de Eli; naqueles dias raramente o SENHOR falava, e as visões não eram frequentes" (3.1). A história por trás disso é que, por causa da rebeldia dos filhos de Eli, a voz do Senhor foi retirada das pessoas que ocupavam aquele ministério.

Na época em que era raro ouvir a voz de Deus, algo aconteceu. Samuel ouviu alguma coisa. Correu até o quarto de Eli no meio da noite por pensar que o sacerdote o havia chamado. Eli disse-lhe que voltasse a se deitar. A mesma coisa aconteceu de novo, e Eli disse as mesmas palavras. E o fato se repetiu. Na terceira vez, Eli percebeu que poderia ser Deus e instruiu Samuel sobre o que dizer e fazer se Deus lhe falasse novamente. Deus falou, e surgiu um profeta. Samuel ouviu a voz de Deus e reagiu com um coração submisso, manifestado em forma de obediência.

Esta é a parte da história que mais me comove: antes de Deus falar pela quarta vez, a Bíblia relata a respeito de Samuel: "Ora, Samuel ainda não conhecia o SENHOR. A palavra do SENHOR ainda não lhe havia sido revelada" (v. 7). De repente, tornou-se claro para mim que Samuel ministrava ao Senhor, mas ainda não o conhecia. Cumpria seus deveres simplesmente porque era certo. Devemos ensinar a nossos filhos o que significa ministrar ao Senhor e servi-lo de todo o coração da mesma forma que Eli ensinou Samuel. No entanto, devemos estar alertas porque, às vezes, estamos treinando as crianças nos caminhos de algo que elas ainda não entendem. O relacionamento se formou só depois que Deus falou ao menino Samuel pela quarta vez. De repente todo o treinamento, todas as vezes na presença com serviço prático e adoração, fez sentido.

O princípio é claro para mim. Precisamos ensinar às crianças as várias maneiras de amar a Deus, de adorar a Deus e as maneiras de devoção pessoal. Não significa treiná-las na hipocrisia. Ao contrário, significa criar uma força propulsora que faça sentido tão logo eles tenham um encontro pessoal com Deus. Eu penso que esse tipo de treinamento atrai a voz de Deus na vida delas desde tenra idade. É o que fazemos como pais; nós as preparamos para seu propósito em Deus.

Nosso filho mais velho, Eric, é atualmente pastor sênior da Bethel Church. Pouco tempo atrás, ele pregou uma mensagem à família de nossa igreja na qual mencionou que, quando criança, ganhava sorvete por adorar a Deus. É claro que todos riram, mas em apoio total à ideia. Depois contou que um dia algo lhe disse de repente que ele estava adorando verdadeiramente a Deus, não apenas pelo sorvete. É lindo. Nós ajudamos a criar uma força propulsora que Deus honra com um encontro com ele. E esses encontros mudam tudo.

Criando realeza

A história de Salomão é uma das minhas favoritas na Bíblia. Ele não tinha qualificações nem preparo para ser o rei de Israel, mas ao menos tinha consciência disso. Quando Deus o visitou durante a noite e ofereceu-lhe a oportunidade de escolher o que desejasse, Salomão foi prudente e pediu sabedoria (v. 1Reis 3.1-15; 2Crônicas 1). Trata-se de uma história clássica, porque aqueles tipos de momentos com Deus eram dádivas raríssimas.

Salomão foi criado pelo próprio vencedor de gigantes. Davi, o *homem segundo o coração de Deus*, aparentemente não tinha habilidades para criar muitos de seus filhos e sofreu horrores com Absalão e seus irmãos. Esse problema existe até hoje. Algumas pessoas são excelentes em algumas coisas, mas falham lamentavelmente em casa. Felizmente, não somos forçados a sacrificar a família para ter sucesso em outras coisas. Temos de aceitar intencionalmente o privilégio da família.

No entanto, no caso de Davi e Salomão não foi bem assim. Davi criou Salomão com um propósito e um futuro em mente. Esse tipo de visão pode nos dar a sabedoria de que necessitamos para essa tarefa. Salomão descreveu o treinamento que recebeu de Davi:

> Quando eu era menino,
> ainda pequeno,
> em companhia de meu pai,
> um filho muito especial para minha mãe,
> ele me ensinava e me dizia:
> "Apegue-se às minhas palavras
> de todo o coração;
> obedeça aos meus mandamentos,
> e você terá vida.
> Procure obter sabedoria e entendimento;
> não se esqueça das minhas palavras
> nem delas se afaste.

> Não abandone a sabedoria,
> e ela o protegerá;
> ame-a, e ela cuidará de você.
> O conselho da sabedoria é:
> Procure obter sabedoria;
> use tudo o que você possui
> para adquirir entendimento" (Provérbios 4.3-7).

Davi plantou sementes de fome por sabedoria em seu filho Salomão, o qual menciona as instruções de seu pai nesses versículos. Salomão afirma que, quando era um filho para Davi e um filho muito especial de sua mãe, Bate-Seba, o pai transmitiu-lhes essas palavras de instrução. E isso é totalmente correto. Ele era um dos muitos filhos de Davi, mas o único filho de Bate-Seba. Seu outro filho, concebido em adultério de Davi, morreu logo após o nascimento.

No capítulo 4 de Provérbios, Salomão declara que seu pai, Davi, lhe ensinou os fatos importantes da vida. Ensinou quais eram as prioridades e o preço que ele deveria estar disposto a pagar para receber de Deus o dom inestimável da sabedoria. A sabedoria é um prêmio extraordinário. E se assemelha muito ao Reino de Deus. Quando buscamos esse prêmio como prioridade, todas as outras coisas na vida são acrescentadas como bênçãos. Certamente funcionou dessa maneira com Salomão. Não se detenha no fato de que as coisas não terminaram bem para ele. A sabedoria só funciona quando a usamos. Salomão rejeitou seu próprio ensinamento e conselho, mas seus sucessos ainda são merecedores de estudo. Encontram-se entre os mais admiráveis da Bíblia inteira.

Nós, os pais, preparamos os nossos filhos com instruções. A instrução eficiente encerra um significado profético, porque os prepara para fazer escolhas às quais não teriam acesso sem recebê-las de nós. Imagino que Salomão tenha sido o único que recebeu a opção de *faça o que quiser*, por ser o único preparado para fazer tal escolha. Davi treinou-o com um futuro em mente. Preparamos os nossos filhos por meio da oração, do ensino e do encorajamento, e depois temos o privilégio de ver Deus responder a esse preparo com oportunidades que, de outra forma, eles não teriam.

Pais, temos o privilégio de treinar os nossos filhos para serem excelentes. Quando adotamos os valores que lhes ensinamos, há um longo caminho a percorrer para que aprendam conosco. Quando vivemos o que ensinamos, ensinamos com autoridade, não apenas transmitindo informações. Os nossos filhos podem obter informações em livros, mas só poderão receber o que lhes ensinamos se formos capazes de dar o exemplo, ao ensiná-lo e profetizá-lo na vida diária deles.

Custo e recompensa

Os filhos de pastores têm a fama de ser problemáticos. Beni e eu nos esforçamos muito para proteger os nossos filhos de pressões desnecessárias que pudessem acrescentar o nome deles a essa estatística. Felizmente, a nossa família da igreja não incluiu expectativas negativas que, às vezes, prejudicam a criança, criando ressentimento e resistência a tudo que diga respeito à igreja.

Apesar de todo o esforço, os nossos filhos ainda tiveram de pagar um preço por eu ser pastor. E não consegui controlar o preço que tiveram de pagar. Mas consegui controlar a recompensa que receberam por serem os meus filhos. Algumas pessoas chamam isso de nepotismo. Não me importo nem um pouco com o que os outros pensam ou dizem. Os filhos são meus, e preciso lutar pelo sucesso deles, sem sacrificá-los no altar da opinião pública. Eu sofria com prazer por eles em qualquer circunstância.

Por esse motivo, procurava oportunidades de abençoá-los por causa da minha posição. Por exemplo, se eu tivesse de fazer uma palestra, levava Beni e as crianças comigo para que nadassem na piscina o dia inteiro ou passeassem no *shopping*. Se precisássemos de alguém para limpar os escritórios, eu dava a um dos meus filhos a oportunidade de fazer esse serviço. Simples assim. Contudo, é também um fato extraordinário quando vemos o que acontece com as crianças que não crescem ressentidas com a igreja, mas que celebram o momento de estar lá.

Davi buscou recompensa

Uma das histórias mais interessantes da Bíblia tem de ser a de Davi e Golias. O que mais me fascina nessa história é a reação de Davi. Sabemos que Davi acabou matando o gigante, mas é o modo pelo qual esse cenário evoluiu que me inspira e desafia.

Davi era um menino pastor. Seus feitos foram assombrosos. Ele matou um urso e um leão que tentaram atacar e roubar o rebanho. Matou-os sem que ninguém visse; portanto, Deus pôde confiar nele para matar Golias quando todos estavam vendo. Esse ponto é de suma importância para entendermos e celebrarmos as vitórias dos nossos filhos. Elas sempre conduzem a coisas maiores, porque essa é a natureza de Deus e de seu Reino — que somente se move de glória em glória.

O pai de Davi pediu-lhe que levasse comida para seus irmãos nas linhas de frente da batalha. Ao chegar, ele viu que Golias estava lá, zombando dos exércitos de Deus. Essa atitude ofendeu Davi, porque ele tinha um zelo pelo nome do Senhor que só pode ser alcançado por alguém que tenha relacionamento com ele. Davi era um verdadeiro adorador que cuidava do rebanho para a glória de Deus.

Eliabe, o irmão mais velho de Davi, entrou em cena e se enfureceu ao ver Davi. Foi uma reação estranha diante da presença do irmão mais novo. Acusou-o de irresponsabilidade e de ter motivos errados. (Conforme mencionei, não pense que você vê os motivos de outra pessoa. Só Deus conhece o coração. Se você for capaz de ensinar essa lição aos seus filhos, ela protegerá o coração e a mente deles de sofrimento pelo resto da vida.) A reação de Eliabe diz mais a respeito dele que sobre Davi. Igual a todos que compunham o exército, Eliabe estava morrendo de medo de Golias. Precisava jogar a culpa de sua covardia em alguém. Davi foi o alvo mais fácil, principalmente quando Eliabe ouviu dizer que seu irmãozinho pedira uma recompensa. É importante lembrar que as reações de ódio de outras pessoas contra nós ou contra os nossos filhos falam muito alto sobre elas próprias, não sobre nós.

Davi reagiu à acusação de Eliabe, perguntando: "O que fiz agora? Será que não posso nem mesmo conversar?" (1Samuel 17.29). E voltou a perguntar sobre a recompensa: "Ele então se virou para outro e perguntou a mesma coisa, e os homens responderam-lhe como antes" (v. 30).

Esta é a parte da história que desafiou o meu pensamento: Davi perguntou duas vezes qual era a recompensa por matar Golias. E há uma boa chance de que ele também soubesse qual era, quando foi anunciada pela primeira vez, porque já havia chegado. Por que era tão importante? Davi estava preocupado com a recompensa. Ouviu qual era pelo menos duas vezes, talvez três. Por ter sido provocado a sentir zelo pelo nome do Senhor, ele também se preocupou com a economia de Deus, de onde o povo recebe recompensas.

Aqui está a recompensa que motivou Davi a prestar atenção a suas convicções sobre as blasfêmias proferidas por Golias: "O rei dará grandes riquezas a quem o vencer. Também lhe dará sua filha em casamento e isentará de impostos em Israel a família de seu pai" (v. 25). O ganho pessoal tem sido rotulado como pernicioso, principalmente em uma época em que a inveja dos que são abençoados está em alta o tempo todo. É pesaroso ver que a inveja é rotulada hoje como virtude — chamada, claro, de outros nomes, como "justiça", "igualdade" e "direitos humanos", só para citar alguns. Essa bobagem produz cristãos que pensam ter direito a tudo, mas pouco sabem a respeito de pagar um preço pela maturidade. Mas Deus recompensa essa maturidade. Os dons são gratuitos; a maturidade custa caro.

A fraqueza da justiça

Nunca permitimos que os nossos filhos dissessem "Não é justo!". Respondíamos assim: "A vida não é justa. Você terá de aprender a reagir quando as coisas não funcionarem do jeito que você gostaria". Queríamos que eles assumissem a responsabilidade por si mesmos, por suas ações e reações, de modo que aproveitassem a maioria das oportunidades que só Deus lhes poderia dar.

Jesus ensinou por meio de parábolas, para nos ajudar a entender como seu Reino funciona. Há uma história em particular que pode nos capacitar a ver algo diametralmente oposto à ideia de que somos merecedores de tudo. Precisamos parar e prestar atenção especial. A parábola é sobre um proprietário de terras que entrega alguns talentos a seus servos (v. Mateus 25.14-30). Os talentos eram uma quantidade de dinheiro que os servos deveriam investir para o proprietário. Um servo recebeu cinco talentos; outro, dois; outro, um.

Há apenas duas partes da história que preciso abordar. Em primeiro lugar, observe que nem todos receberam a mesma quantidade de dinheiro para investir. O proprietário deu recursos a seus servos de acordo com a capacidade de cada um. É muito importante notar que nem todos possuem a mesma capacidade. Essa é a misericórdia de Deus. Dar responsabilidades iguais a todos destruiria aqueles que não possuem a capacidade necessária para o sucesso.

Os servos foram recompensados de acordo com sua medida de fidelidade. O segundo ponto que precisamos observar é que a fidelidade aumenta a nossa capacidade. Vemos isso no modo com que proprietário aumentou a incumbência dos servos fiéis. As pessoas são iguais em valor, mas não em dons e responsabilidades. Felizmente não há limites ao potencial de alguém que é fiel e traz dividendos ao Rei.

Provavelmente a parte mais desagradável da história para alguns é a reação de Jesus àquele que vivia como um servo covarde e infiel:

> "O senhor respondeu: [...] 'Tirem o talento dele e entreguem-no ao que tem dez. Pois a quem tem, mais será dado, e terá em grande quantidade. Mas a quem não tem, até o que tem lhe será tirado' " (Mateus 25.26,28,29).

Essa história destrói a possibilidade de Jesus ser politicamente correto. Ele está defendendo tirar o dinheiro de alguém que tem o mínimo e dar a quem tem o máximo. Se existe algo que provoque a ira dos que buscam igualdade, é isso.

A igualdade é importante para que todos tenham a chance de obter sucesso, e todos têm a chance de receber recompensa. Essa história grita bem alto que não há limites para o aumento do nosso potencial. Na verdade, nenhum de nós é capaz de controlar o ponto onde começamos na vida. Mas temos grande influência no ponto onde terminamos, porque a recompensa é dada aos fiéis.

Trato os meus filhos de modo igual em amor, oportunidades de sucesso e privilégios. Essa é a minha alegria, e porque amo todos da mesma forma. Mas também os amo individualmente porque são muito diferentes uns dos outros. Quando as crianças recebem troféus por participação, sem ter feito nada, a não ser comparecer, precisamos ter certeza de que elas não ignorem o modo de Deus trabalhar. Eu sempre comemorarei os esforços dos meus filhos, e agora dos meus netos, simplesmente porque eles tentaram. Não quero esconder o fato de que Deus dá recompensas só para parecer que sou politicamente correto.

Ensine seus filhos a pensar. O "politicamente correto" é uma forma de a sociedade aumentar a pressão para o conformismo. O "politicamente correto" também é prova de que a imbecilidade é contagiosa. Fique longe do pensamento da multidão e aceite as maneiras do Reino. Deus valoriza a identidade individual e a coletiva. Ele manterá você e sua casa protegidos dos invasores que gostam de violar os valores do mundo que ele criou, valores esses que criaram raízes em nós.

Para pôr isso em prática, eu tenho de estar disposto a dar sorvete aos meus filhos que vão à celebração e não dar aos que não vão. Ajo assim sabendo que no domingo seguinte provavelmente haverá 100% de participação. Ensinar os filhos a entender e viver dentro dos princípios essenciais de amar e servir a Deus produz bons resultados ao longo do tempo. Eles herdam uma força que aumenta seu interesse no decorrer dos anos.

9

DIREÇÃO PROFÉTICA

UM DOS VALORES FUNDAMENTAIS DA fé cristã é que Deus fala até hoje; caso contrário, seria impossível nascermos de novo. Deus nos chamou para si, e reagimos com submissão.

Em certas partes da Igreja, o alarme soa sempre que esse assunto é abordado. A preocupação é que, se Deus fala, então sua fala pode substituir as Escrituras. Essa preocupação é legítima em parte, porque algumas pessoas se desviaram da fé por ter aderido a uma voz qualquer ou se impressionaram com o que ouviram. Jamais podemos permitir que algo viole ou ultrapasse o modelo apresentado nas Escrituras. A Palavra de Deus é Jesus impresso. Ele é a Palavra, portanto a Palavra precisa ser valorizada apropriadamente.

Construir a nossa vida, e principalmente o nosso lar, sobre uma opinião subjetiva (em conflito com as Escrituras) não suportará o teste do tempo — em especial para aqueles que desejam criar filhos que façam diferença no mundo.

Esse precisa ser um assunto inegociável. Há muita pressão em casa para termos qualquer esperança de conquistas significativas, sem construir a família sobre a Rocha. E essa Rocha é Jesus Cristo, a Palavra de Deus. Todas as conquistas do Reino resultam da vida e força de sua Palavra.

Tendo dito isso, afirmo que Deus fala até hoje. Essa é a beleza de um relacionamento com Deus, o Pai. Ele anseia falar com seus filhos. Mas sua voz não é semelhante à do som do trovão como vemos nos filmes. Em geral, ele fala como um amigo.

A beleza dessa jornada é que Deus deseja conversar conosco sobre nós, e principalmente sobre os nossos filhos e netos. Ele possui todas as informações de que necessitamos para cuidar bem dos nossos filhos. Aprender a ouvir a voz de Deus a respeito de uma criança específica ou de uma necessidade específica no lar faz a diferença entre vida plena e sobrevivência no ambiente da vida em família.

Nutridas e conhecidas

Temos um processo proposital para trabalhar com as crianças da Bethel Church em Redding, Califórnia, que pode ser útil para todos os pais. Organizamos um arquivo com o nome de cada criança. Quando elas chegam para ficar sob o nosso cuidado, criamos um arquivo para elas, independentemente da idade. As pessoas que trabalham com crianças são encorajadas a orar e ouvir a voz de Deus àquela criança. Às vezes, essas pessoas têm um vislumbre da força que Deus concedeu àquela criança; em outras, recebem o que chamamos de palavra profética para ela. Entenda, por favor, que nunca pronunciamos uma palavra no nosso ambiente com a finalidade de controlar ou influenciar de modo prejudicial o propósito de uma criança. Deus confirmará o que nos deu ou nos mostrará o que não partiu dele. Quero dizer que acreditamos no que Deus fala; ouvimos e repetimos o que ele diz.

Quando a criança é transferida do berçário para a classe seguinte, o arquivo vai com ela. O professor ou professora observa o que foi mencionado a respeito da criança e assume a mesma responsabilidade de acrescentar algo ao que foi escrito. A palavra profética deve encorajar e edificar cada pessoa a cumprir o propósito que lhe foi dado por Deus. Isso é feito para cada criança, em cada classe. Quando ela recebe o diploma na classe de ensino médio, o arquivo vai com ela de novo. Assim, os nossos jovens já possuem uma história com Deus e sabem o que ele diz a seu respeito. Essa parte se tornou muito importante no treinamento das nossas crianças. O arquivo do *que Deus diz a respeito delas* acompanha-as durante a vida toda.

Não sei se os pais precisam ter um arquivo profético para cada filho, mas, para mim, é uma atitude sábia estar atento ao que Deus diz sobre cada criança. Esse arquivo se torna o combustível para a oração, e é a confissão que fazemos quando as coisas vão bem e quando parece que a vontade de Deus nunca se cumprirá.

Zacarias profetizou sobre seu filho, João Batista, quando a criança tinha 8 dias de vida (v. Lucas 1.67-79). Duvido que o bebê tenha entendido o que foi dito. Mas a palavra profética precisava ser proferida. Algumas coisas que ouvimos de Deus, como pais e avós, precisam ser ditas. Nada acontecerá no Reino enquanto uma palavra não for dita. A palavra profética revela o coração de Deus. E o coração de Deus precisa ser declarado!

A luta por identidade

Lembro-me de uma das minhas experiências quando era professor de uma classe de adolescentes na escola dominical. A classe de 3,5 x 4 metros chegou a ter 19 rapazes grandalhões. Uma sala pequena como aquela não é o melhor ambiente para ensinar a qualquer grupo como aquele. Mas os rapazes, com tanta energia, eram um pouco malucos. Estavam sempre inquietos e ansiosos. Quando penso neles, não os culpo.

Certo domingo, lembrei-me do conceito de como Jesus se dirigiu a Pedro, chamando-o de *rocha*, embora ele fosse mais semelhante ao nome que lhe deram ao nascer — *caniço rachado*. Quando nos reunimos na classe, pensei em tentar algo diferente. Sentei-me e disse calmamente: "Saibam que vocês são homens de Deus".

Quando comecei a falar sobre o que eu via na vida deles, podia-se ouvir o som de um pingo d'água. Sentados em silêncio, eles me deram toda a atenção. Não tive de corrigir ninguém. Eles estavam tão sedentos de ouvir qualquer coisa que determinasse sua identidade, que beberam cada palavra que eu disse. Cada palavra. Estavam lutando pela própria identidade.

Pais proféticos

É muito fácil nos sentirmos incapacitados para certos desafios na vida. E ser profético é uma das qualidades menos prováveis que a média dos pais sente ter. Seria útil se pensássemos no assunto por um ângulo diferente. Em vez de chamar de profético um dom que podemos ter ou não, reflita nisto: na economia de Deus, recebemos determinadas graças (habilidades divinas) de acordo com a posição à qual nos designa, não por causa dos nossos dons ou talentos. Por exemplo, até os reis e líderes ímpios recebem um dom de Deus que os capacita a governar bem. O modo de usar essa habilidade é problema deles, claro. Mas a habilidade chega por meio do cargo ou da responsabilidade que receberam.

Significa que Deus capacita os pais a receber uma graça profética para a família simplesmente pela função que ocupam como pais, e porque eles pedem esse dom. Essa é uma parte verdadeiramente importante de como o mundo de Deus funciona. Não apenas isso, mas recebemos esta instrução: "[...] busquem com dedicação os dons espirituais, principalmente o dom de profecia" (1Coríntios 14.1). A questão é a seguinte: buscar dons específicos (expressões) do Espírito Santo não é apenas legítimo; é uma ordem. Nós, os pais, precisamos disso de uma forma maior. A visão profética é essencial para a criação dos filhos.

Uma vez que a visão profética nos capacita a ver, a nossa percepção dos assuntos se torna mais clara, bem como a habilidade para ver coisas como propósito, chamado etc. Essa visão está ao alcance de todo cristão, mas especialmente do pai ou da mãe em relação à sua família. Necessitamos de cada vantagem que Deus nos proporciona.

Talvez você não faça parte de uma igreja que ora e profetiza sobre o futuro ou propósito dos seus filhos. Mas você serve ao mesmo Pai celestial, que lhe deu acesso às mesmas informações. Não temos desculpa para não buscar Deus em favor dos nossos filhos, porque todos nós temos acesso a tudo o que Deus nos proporcionou para ter sucesso como pais. Precisamos utilizar a vantagem de ouvir a voz de Deus especificamente em favor dos nossos filhos.

No nosso caso, Beni e eu começamos a orar antes mesmos de eles nascerem. Na época, começamos a orar até por seus futuros cônjuges, para que Deus os abençoasse e protegesse. Quanto mais você faz *orações dirigidas pelo Espírito*, mais descobre o coração de Deus para os seus filhos e o futuro deles. Destaco a *oração dirigida pelo Espírito* porque há alguns pais que oram pedindo a própria vontade de uma forma tão inflexível que não conseguem mais discernir a vontade de Deus. Devemos orar com intrepidez, mas também com submissão à vontade dele. As orações de submissão a Deus proporcionam-nos discernimento e perspectiva profética. Assim que entendemos a perspectiva de Deus, as orações intrépidas passam a ser a ordem do dia. A nossa confiança se concentra na vontade dele, no propósito dele.

Para Beni e eu, o sentido profético do que Deus estava fazendo na vida dos nossos filhos evoluiu no decorrer dos anos. Em outras palavras, nem sempre recebemos o discernimento necessário em uma experiência repentina. Ele foi revelado à medida que buscávamos Deus e aceitávamos o privilégio de nos envolver na tarefa de moldar a vida deles. Às vezes, a experiência de receber discernimento nos pareceu sobrenatural, porque Deus pôs algo no nosso coração que aparentemente não tinha lógica. No entanto, na maioria das vezes, recebemos discernimento não apenas das nossas orações constantes, como também de observarmos as habilidades e os desejos dos nossos filhos.

Amigos proféticos

Outra vantagem maravilhosa que recebemos foi a de possuir amigos verdadeiramente proféticos que amavam os nossos filhos. Nós os convidávamos para ministrar na Mountain Chapel, onde pastoreávamos. Tivemos também o privilégio de receber esses amigos em casa. O dom profético deles, exercitado tanto na igreja como no nosso lar, foi extremamente importante para nós (falarei um pouco mais sobre o assunto em um capítulo mais adiante). Contudo, nós os valorizávamos até um pouco mais como pessoas. O coração deles voltado para Deus e seu caráter no púlpito, e fora do púlpito, ajudaram-nos a receber o que eles tinham a nos oferecer. Não posso imaginar onde estaríamos sem o investimento daqueles amigos na nossa vida.

Embora nem todos tenham o mesmo acesso a profetas experientes e maduros, todos têm acesso a um coração sedento da palavra do Senhor sobre seus filhos. Deus possui maneiras maravilhosas de enviar recursos a seu povo, mesmo que eles não estejam totalmente conectados às pessoas certas. Seja em relação ao dinheiro, seja a uma palavra do Senhor, ou até mesmo à concessão de uma graça, Deus enviará recursos a seu povo para cumprir seus propósitos.

Basta sentir um desejo ardente de ouvir a voz de Deus. Eleve a voz a ele, pedindo discernimento específico para o lugar de seu filho no mundo, e Deus falará.

O segredo pessoal de Jesus

Jesus nos contou que só fazia o que via o Pai fazer e que só dizia o que ouvia o Pai dizer (v. João 5.19; 12.49). Esse é um exemplo importante para aprendermos, porque Jesus não vivia pensando em como reagir ao Diabo, fazendo-lhe oposição. Pelo contrário, ele estava sempre preparado para responder ao Pai. O mesmo princípio realizará maravilhas na condução da nossa casa. A verdade é a seguinte: aprendemos a *não* reagir aos problemas, mas a usar essas situações para responder positivamente diante do Pai e ao que ele está fazendo. Responder com prudência aos filhos em vez de reagir instintivamente a eles é sempre mais frutífero.

Jesus foi enviado para ministrar aos judeus em primeiro lugar, a fim de completar a exigência do Antigo Testamento. Sabemos que essa foi a missão que o Pai lhe deu. Mas houve ocasiões em que Jesus agiu em desacordo com essa ordem do Pai. Sabemos também que, nessas ocasiões, Jesus não violou o princípio de fazer somente a vontade do Pai, portanto deve ter havido outro fator envolvido que, a meu ver, pode nos ajudar imensamente na criação dos nossos filhos. É o fator fé. Quando a mulher siro-fenícia se aproximou de Jesus e lhe pediu que expulsasse o demônio de sua filha, Jesus disse que não podia dar o pão dos filhos aos cachorrinhos. A cura e a libertação eram o pão dos filhos, disse-lhe Jesus, dado primeiro aos filhos de Israel.

No entanto, esse não foi o fim da história para aquela mãe. O coração dela por sua filha era maior que o desejo de se sentir ofendida diante do comentário de Jesus. (Encanta-me o fato de saber que quase sempre o nosso milagre está do outro lado do recebimento de uma ofensa pessoal.) A mãe disse a Jesus que até os cachorrinhos comem das migalhas dos pratos das crianças sentadas à mesa do dono da casa.

Ao ouvir a resposta da mulher, Jesus disse que o demônio já havia saído de sua filha (v. Marcos 7.24-30). É uma história maravilhosa. Como Jesus sabia que era isso que o Pai estava fazendo? Pelo jeito ele não sabia antecipadamente. Na minha opinião, ele sabia o que o Pai estava fazendo ao ver a fé nos olhos daquela mãe. Ela só poderia receber aquela dádiva se viesse de Deus, portanto é por isso que Jesus sabia o que o Pai estava fazendo.

Que privilégio divino temos como pais cristãos de exercer o fator fé em resposta aos problemas que temos nas mãos. Assim como aquela mulher cheia de fé, podemos esperar que o Senhor aja em favor dos nossos filhos.

Escolhendo uma direção

Todos nós já ouvimos histórias trágicas de pais e mães que passaram a vida decepcionados ou com a sensação de fracasso por causa dos filhos. Em outras palavras, eles lutaram para que seus sonhos se concretizassem na vida dos filhos, porque não conseguiram concretizar os próprios sonhos.

Há também casos em que os pais tiveram muito sucesso na vida e queriam o mesmo para os filhos. É claro que esse desejo começa bem, porque espero que todos os pais desejem que suas bênçãos pessoais sejam transferidas a seus descendentes. Mas a tragédia ocorre sempre que os pais controlam e manipulam os filhos, querendo que busquem o sonho que tiveram para eles, para que os filhos sejam bem-sucedidos exatamente como eles foram.

Ambos os casos são devastadores, porque, na melhor das hipóteses, os filhos se frustram e se sentem fracassados; na pior, eles se rebelam e abandonam a família. Deus tem um propósito único para cada filho, e os pais com bom senso podem ajudá-lo a descobrir.

Todos os pais desejam o melhor para os filhos. Faz parte de ser mãe ou pai. Vemos pessoas tomando decisões tolas na vida e querendo evitar a todo custo que os filhos tomem as mesmas decisões.

Ou já vimos os filhos fazerem más escolhas e queremos protegê-los desse tipo de fracasso ou decepção. Não vejo nenhum erro nesses desejos. Mas é muito importante retornarmos ao *manual do proprietário* para descobrir como criar filhos do modo certo. A Bíblia apresenta instruções muito específicas sobre como devemos criar os nossos filhos e em que direção devemos conduzi-los:

> Ensina a criança *no caminho*
> *em que deve andar*,
> e, ainda quando for velho,
> não se desviará dele (Provérbios 22.6, *Almeida Revista e Atualizada*).

Observe, por favor que o versículo diz "no caminho em que deve andar". Não diz que devemos ensinar a criança no caminho que queremos que ela ande. Não diz que os pais têm melhor conhecimento. Por exemplo, se você é médico, não force seus filhos a serem médicos. Preste atenção a seus dons e desejos, e siga a direção deles a fim de desenvolvê-los como indivíduos. Os atletas têm problemas quando os filhos possuem pouca habilidade ou interesse para o esporte. Às vezes, eles forçam a criança a praticar um esporte que só serve para frustrá-la. Aprenda a reconhecer "o caminho em que deve andar". Crie os seus filhos para amar a Deus, apreciar a vida e seguir uma vida de aventuras com Deus.

O impacto da adoração

Os meus dois filhos são atletas. Possuem dons inusitados de jogar bem em várias modalidades esportivas. O beisebol era o nosso esporte principal, porque eu também jogava beisebol no ensino médio com um sucesso razoável. Eric era bom jogador no time de sua escola e chegou a receber o prêmio MVP (jogador mais destacado) entre 70 ou 80 alunos do ensino médio no norte da Califórnia. Ele era *catcher* [receptor]. Sua média de rebatidas era acima de 0.580, e ele nunca foi eliminado por *strikeout*[1] durante o campeonato inteiro. Brian estava seguindo os passos do irmão. Suas habilidades no beisebol eram promissoras, semelhantes às do irmão. Apesar de ser dois anos mais novo que Eric, ele começou a destacar-se nos esportes, jogando pela equipe principal de beisebol do colégio como calouro. Jogava basquete também. Seu arremesso no basquete era lindo. Era uma grande alegria vê-los jogar, e viajamos por todo o norte da Califórnia para acompanhá-los. Quando um deles fazia uma bela jogada, eu me levantava na arquibancada e gritava: "De quem ele é filho?!".

Um dia, aparentemente do nada, Brian abandonou todos os esportes. Isso mesmo, quase do dia para a noite. Foi um choque para nós, porque os esportes faziam parte da vida da maioria dos garotos que cresceram juntos. Dedicamos tempo, dinheiro e encorajamento aos interesses dos nossos filhos, sem nos importar com isso. O esporte era a paixão dos garotos, e parecia que eles se aprontaram nos primeiros anos escolares para o que realizariam no ensino médio. Mas Brian perdeu todo o interesse. De repente. Aparentemente os anos de preparação desapareceram.

Dizer que fiquei apreensivo é um grande eufemismo. Fiquei muito preocupado com ele. Conversamos sobre o assunto, e

[1] Quando o jogador é posto para fora do jogo por não ter rebatido a bola três vezes. [N. do T.]

ele havia desistido dos esportes por vários motivos. Pegou um violão, algo pelo qual nunca demonstrara interesse, e começou a aprender a tocá-lo sozinho. Tocava horas por dia. Às vezes, tocava oito, dez ou doze horas por dia nos fins de semana. Brian tinha um amigo no grupo de jovens da igreja que tocava bateria da mesma forma que Brian se dedicava ao violão. Tocavam juntos durante horas.

A música sempre fez grande parte da minha vida. Os meus pais eram músicos muito dedicados. De certa forma, eu não deveria ter ficado tão chocado com Brian, mas fiquei. Apesar da preocupação, eu acreditava no meu filho. Caminhamos juntos no decorrer dessa mudança de interesses, dando-lhe total apoio. Mas, no fundo, eu me perguntava se aquilo não seria apenas uma fascinação temporária por algo diferente, embora Brian nunca tivesse demonstrado ser negligente. Para cumprir a minha parte, fiz questão de dar-lhe um violão de boa qualidade e o melhor amplificador que atendesse a suas necessidades.

Era frequente Brian convidar vários amigos para irem a nossa casa. Noite após noite, acontecia a mesma coisa: eles se divertiam e depois, sem nenhum aviso, eu notava que Brian havia desaparecido. Ia até os fundos da casa, onde ficava seu quarto, e o ouvia adorando a Deus com seu violão. E ficava longe dos olhos dos outros no restante da noite. Depois de algum tempo, seus amigos iam embora. Horas e horas de treinamento eram norma para ele, acompanhadas de horas e horas de adoração e composição quase diárias, glorificando a Deus.

Depois que nos mudamos para Redding a fim de pastorear a Bethel Church, lembro-me das vezes em que Brian e seus amigos iam a um parque da cidade onde havia várias atividades de verão em andamento. Mas os satanistas também se reuniam ali. Brian pegava seu violão e, adorando a Deus, caminhava em direção ao grupo dos satanistas. Eles se espalhavam rapidamente, porque não suportavam a presença de Deus na música de Brian. Hoje, Brian dirige o nosso ministério de adoração na Bethel Church, bem como o selo da Bethel Music.

Sedentos de encorajamento

Os educadores dizem que são necessários sete comentários positivos para compensar um comentário negativo. É realmente assustador. Lembro-me de que o meu pai falava desse conceito mostrando sua cadela negra Labrador enquanto ela cuidava de seus filhotes. A cadela corrigia um filhote, o trazia para junto dos outros, e depois o lambia sete vezes. Parece estar escrito na natureza que todos precisam de encorajamento.

Lembro-me de uma vez que tentei corrigir Eric por várias vezes enquanto estávamos entrando no carro para ir a algum lugar. Ao olhar para o terreno da igreja, notei que ele havia deixado sua bicicleta lá, um sinal claro de que poderia ser furtada. Quando comecei a chamar a atenção dele, Beni colocou a mão na minha perna e disse: "Acho que basta por hoje".

Ela estava certa. Há um ponto no qual a correção é mais um desabafo de frustração que ajuda para dar direção a uma criança. Foi o que ocorreu naquele momento, claro.

O papel dos pais é dirigir, governar, conforme mencionei antes. E esse papel é proteger e delegar poder. Mas o *encorajamento* é uma das formas principais de delegar poder às pessoas para que sejam tudo aquilo que Deus planejou para elas. Significa que procuramos intencionalmente aquilo que elas fizeram certo e onde estão tentando e se esforçando para melhorar. Chamar a atenção para isso faz maravilhas. Pense na palavra "encorajar". O que fazemos para as pessoas incute coragem nelas. E esse é o momento em que todos precisam de mais coragem. A coragem de que necessitamos para as decisões mais difíceis da vida só são encontradas quando tomamos essas decisões com a eternidade em mente.

Os meus pais foram os maiores encorajadores da minha vida. E o encorajamento continuou mesmo depois que completei 50 anos, quando o meu pai partiu para morar com o Senhor. A minha mãe continua sendo uma constante fonte de encorajamento para mim. Como se eu tivesse acabado de ter feito uma grande jogada no beisebol, até hoje ela grita de vez em quando: "De quem ele é filho?!".

Sempre nos esforçamos muito para encorajar os nossos filhos. Muito mesmo. Os garotos estavam passando para a fase de rapazes, com verdadeira sabedoria e devoção. Leah também demonstrava ser cada vez mais responsável, mas era quatro anos mais nova que Brian e seis mais nova que Eric. Não sabíamos como ela reagiria ao ser pressionada a respeito de suas convicções quando iniciasse o ensino médio. Um dia, Beni permitiu que Leah fosse a pé da Trinity Country Christian School até a Trinity High School, onde seus irmãos estudavam. Ela os encontraria lá, ficaria um pouco de tempo com eles e depois Beni buscaria todos para levar para casa.

Ao chegar, Beni viu Leah diante de um garoto bem mais velho que ela. Aparentemente, ele havia usado uma linguagem grosseira diante dela, e ela lhe havia pedido educadamente que parasse. Ele não parou, portanto ela o enfrentou e lhe ordenou com todas as letras que ele *precisava* parar. Leah era meiga, mas também inflexível e determinada quando se tratava de justiça. Chegava a pedir ao motorista do carro que mudasse a música, caso a achasse inconveniente.

Beni se sentiu aliviada ao ver como Leah lidou com aquela situação no ensino médio, sabendo que sua "garotinha" seria admirável. É maravilhoso ver quando um filho ou filha realmente aprendeu aquilo que você ensinou.

Orando com discernimento

Como pais e avós, somos posicionados a fazer parte da equipe que transmite força e coragem aos nossos pequeninos. Esse processo começa com oração pelos nossos filhos. Temos a responsabilidade de orar pelo sucesso deles na vida, para que sejam tudo aquilo que Deus planejou para eles. Somos mais propensos a reconhecer a mão de Deus em uma vida quando investimos no bem-estar daquela pessoa por meio da oração.

É importante perceber que, mesmo dentro da família, há diferenças únicas entre irmãos. Algumas crianças são muito intelectuais, ao passo que outras gostam de esporte e outras, de arte. A verdade é a seguinte: cada uma possui características únicas concedidas por Deus que precisamos valorizar. Tratar os nossos filhos com isso em mente é responsabilidade nossa.

Preste atenção aos dons e interesses dos seus filhos. As crianças possuem talentos individuais que, com o tempo, influenciarão o que serão na vida. Permita que tenham paixão por algo. Apoie essa paixão e a estimule! Talvez você não tenha recursos ilimitados para esse fim, mas tem alguns. Tente obter informações de amigos e outras pessoas que tiveram sucesso nas áreas pelas quais seu filho se interessa.

No entanto, não se aborreça se os interesses dos seus filhos mudarem de uma hora para outra, como ocorreu com Brian. Assim como Thomas Edison inventou a lâmpada, os filhos precisam estar expostos ao que funciona e ao que não funciona para eles. Estão adquirindo experiência. Não queira podar ou controlar a paixão deles, nem mudá-la. Apenas observe; a paixão está presente como um dom de Deus.

É o mesmo que extrair ouro das pessoas. Talvez você já tenha ouvido esta afirmação: "Se você faz o que ama, nunca terá de trabalhar na vida". Fazer aquilo que nascemos para fazer é recompensador e estimulante. Exerce também um impacto poderoso no mundo ao redor, porque nos tornamos em algo de acordo com o plano de Deus. Desse modo, descobrimos como viver com alegria.

A mãe do famoso artista Pablo Picasso acreditava que o filho seria importante. Segundo consta, ele revelou a alguém: "A minha mãe me disse: 'Se você for um soldado, será um general. Se for um monge, se tornará o papa'. E eu era um pintor, e agora sou Picasso". Ele descobriu sua paixão e causou impacto no mundo por meio de seu talento. Qualquer um que descubra a finalidade para a qual Deus o criou nunca desejará ser outra pessoa.

A segunda parte de Provérbios 22.6 é tão importante quanto a primeira: *"E, ainda quando for velho, não se desviará dele"* (*Almeida Revista e Atualizada*). É uma promessa maravilhosa que às vezes leva um pouco de tempo para produzir frutos. Li uma história incrível algum tempo atrás sobre um terreno no meio de um deserto, no qual os pesquisadores queriam fazer uma experiência. Havia água no subsolo, portanto os pesquisadores decidiram regar aquela parte sem plantar nada, nem mesmo sementes. Eles só adicionaram água ao deserto. O que aconteceu foi simplesmente espantoso. Uma grande variedade de plantas cresceu, formando uma atmosfera semelhante à de uma selva. Os pesquisadores só precisaram adicionar água.

A nossa missão é plantar as sementes na vida dos nossos filhos e depois cobrir a vida deles com oração. A oração traz a água, por assim dizer. E é Deus quem produz os frutos das sementes que plantamos.

Conclusão: somos sempre responsáveis por plantar esperança, sabendo que Deus é capaz de compensar a nossa falta de capacidade para criar filhos. Eles vencerão gigantes pela graça somente. E essa graça é ativada por meio do poder da Palavra de Deus na vida deles. Temos uma missão. Mãos à obra!

10

ORANDO A PARTIR DO DESCONHECIDO

A MATURIDADE ESPIRITUAL NUNCA É maior que o relacionamento com o Espírito Santo. Ele é o centro de tudo o que se relaciona a ser semelhante a Cristo. Uma das melhores ferramentas do cristão é a capacidade de reconhecer o Espírito de Deus agindo em determinada situação. Desenvolve-se uma parceria por meio da conscientização daquele que, por natureza, somente trará saúde e força à nossa família. A propósito, Jesus é chamado de *Pai Eterno* nas Escrituras (v. Isaías 9.6), o que nos dá um vislumbre da capacidade de Jesus de representar perfeitamente o Pai em todas as coisas. E o *Pai Eterno* sabe verdadeiramente como conduzir a família.

Tendo dito isso, quero acrescentar que as orações ungidas são muito semelhantes às palavras proféticas autênticas. Ambas procedem do Espírito Santo, têm raízes na Palavra de Deus e revelam seu coração para o momento imediato.

É importante aprender a reconhecer orações que atraem o Espírito Santo.

Temos o privilégio e a responsabilidade de orar pelos nossos filhos. Orações às quais o Espírito Santo diz *amém* é uma das maiores alegrias da vida. Ao agir assim, tornamo-nos envolvidos em trazer o coração e a mão de Deus para a nossa família. Aprender a reconhecer a resposta do Espírito Santo ao que oramos traz um aumento exponencial à eficácia das nossas orações. Em geral, reconheço a resposta do Espírito Santo por meio de uma conscientização maior de sua presença, normalmente manifestada em um aumento acentuado de paz. Então, às vezes sou capaz de reconhecer *seu amém* por meio daquilo que chamo de *pensamentos inspirados*. Isso quase sempre ocorre quando o Espírito Santo me conduz mais profundamente em uma direção da oração, com discernimento maior que eu normalmente teria. Basicamente significa que acabei de ter uma ideia melhor que aquela que teria sem a ajuda dele. É comum eu acabar orando por algo que desconhecia até aquele momento — orando a partir do desconhecido. Para mim, esse é outro sinal de que a minha oração é ungida.

Se você mantiver a oração como se fosse um diálogo, descobrirá a beleza das orações inspiradas pelo Espírito Santo. Ao aprender a reconhecê-lo nas orações, você será agraciado com a honra de conhecer o coração do Espírito Santo em um novo e completo patamar. Sempre que descobrimos esse grande tesouro, vemos onde podemos trabalhar em conjunto com o Senhor para saber quais são seus propósitos para nossa família. Esse tipo de oração exige tempo, discernimento e persistência.

Deus é movido por essa maneira profunda e acrescenta o favor de sua presença a tudo.

A obra da oração

As palavras da oração profética pelos nossos filhos são muito semelhantes a acrescentar fermento a uma massa e sová-la. Exige esforço e tempo. Significa que precisamos assimilar o que Deus disse a respeito da vida deles e orar por eles com força implacável.

Entendo que essas palavras poderão parecer contraditórias a alguém que pense: *Se Deus disse isso, certamente acontecerá sem as nossas orações*. Essa afirmação é verdadeira em alguns casos. Mas, em geral, Deus nos fala a respeito das questões da vida e nos dá uma promessa que exige a nossa participação. Abraão recebeu a promessa de um filho. Mas ele teve de fazer sua parte para recebê-la, porque Isaque não fora concebido imaculadamente. Algumas promessas de Deus são anúncios de possibilidades, que ele não é obrigado a cumprir. Elas se tornam efetivas quando fazemos a nossa parte. A oração acompanhada de obediência é uma bela expressão da nossa parceria com Deus.

Eu me esforço muito para meditar em oração sobre o que Deus diz a meu respeito. Aprendi que o resto é mentira. Aliás, nunca mantenho um pensamento sobre mim que não esteja na mente do Senhor. A vida é difícil o suficiente sem que eu ajude o Diabo a me desencorajar ou a me distrair. O que Deus está dizendo protegerá a identidade e a fé de qualquer discípulo sério de Jesus.

Aceito uma promessa de Deus sobre qualquer área da minha vida e oro por ela, confesso-a em silêncio, declaro-a em voz alta e canto-a. Às vezes, digito-a em uma página do meu *tablet* ou escrevo-a em um cartão pequeno para carregá-la comigo. A verdade é que eu me cerco do que Deus está dizendo e depois cerco a minha caminhada com Deus com aquelas mesmas promessas transformadas em orações, confissões e cânticos. Tenho a responsabilidade de ser um vigia da minha casa, o que significa manter os ouvidos em alerta e os olhos abertos a qualquer desafio que possamos enfrentar e à promessa que Deus já pôs no lugar para nos capacitar a vencer com grande vitória.

Sempre que somos bons administradores daquilo que Deus nos dá, ele acrescenta um pouco mais ao que já temos. A fidelidade atrai mais coisas. Esse é um princípio do Reino que funciona com dinheiro, amigos, favor e agora com discernimento para orar. Se usarmos o pouco que temos para que os propósitos de Deus sejam desenvolvidos na vida dos nossos filhos e netos, ele nos abrirá os olhos para vermos mais do que é necessário para acontecer e como acontecer. Deus é generoso com aqueles que são bons administradores de seu Reino.

Aprendendo com Jó

Jó foi uma figura heroica do Antigo Testamento, famoso por sua coragem e fidelidade a Deus, apesar das circunstâncias. Sua mulher disse-lhe que amaldiçoasse a Deus e morresse. Até seu sistema de apoio, que provavelmente funcionava bem enquanto ele era abençoado, voltou-se contra ele no sofrimento. Muita coisa se revela quando a nossa fé é desafiada.

Jó possuía um foco de oração a respeito de seus filhos que considero útil:

> Seus filhos costumavam dar banquetes em casa, um de cada vez, e convidavam suas três irmãs para comerem e beberem com eles. Terminado um período de banquete, Jó mandava chamá-los e fazia com que se purificassem. De madrugada ele oferecia um holocausto em favor de cada um deles, pois pensava: "Talvez os meus filhos tenham, lá no íntimo, pecado e amaldiçoado a Deus". Essa era a prática constante de Jó (1.4,5).

Que maneira extraordinária de interceder pelos nossos filhos! Todo pai e toda mãe deveriam aprender o *timing*, ou seja, o tempo, a hora e o momento, das orações de Jó, porque elas não estavam ligadas a um registro ou relatório de pecado. Ele simplesmente queria ter certeza de que seus filhos estavam protegidos, caso pecassem contra Deus ou se descuidassem durante suas comemorações.

Muitas pessoas que confiam em Deus na provação perdem o controle emocional na bênção. Jó sabia disso e fazia questão de que seus filhos estivessem protegidos durante seus banquetes. Provavelmente quase todos os filhos de Jó eram adultos na época, mas ele ainda sentia a necessidade de protegê-los com oração intercessora. Essa é a beleza de ser pai ou mãe.

Persistência e coerência

Beni e eu orávamos com os nossos filhos todas as noites antes de colocá-los na cama. Não se tratava de uma atividade engenhosa que praticamos somente quando eram pequenos. Continuamos durante a adolescência deles. Orávamos com eles todas as noites, a não ser quando eu estava fora da cidade ou chegava tarde por causa de uma reunião. E, quando eu chegava depois que estavam dormindo, orava por eles. Essa parte se tornou um hábito para mim, mesmo que tivéssemos orado juntos antes de colocá-los para dormir. Eu orava as promessas de Deus para eles. Às vezes, eu simplesmente declarava tais promessas. Orava bem baixinho, para não os acordar, mas no coração eu gritava o que Deus havia dito a respeito da vida deles. Depois, eles começaram a ir para a cama bem mais tarde do que eu; portanto, de vez em quando eu me levantava no meio da noite ou de madrugada e orava por eles. Quero dizer que orar pelas pessoas da família e por seu propósito é a ferramenta mais poderosa de criar filhos, principalmente quando a oração é acompanhada de obediência.

Eu também gostava muito de desafiar os meus filhos à sua fé e ao discernimento. Alguns comentários aleatórios ajudavam, embora eu fosse cauteloso para não transformar os comentários em sermões. Havia algumas coisas que eu dizia aos meus filhos repetidas vezes, noite após noite. Uma delas era: "Antes de dormir esta noite, pergunte a Deus se existe algo impossível que ele queira que você faça". Às vezes, eu simplesmente fazia uma declaração sobre eles, como: "Lembre-se: você faz parte de um time que está aqui para mudar o mundo". A verdade é a seguinte: eu queria conectá-los a seu propósito eterno, repetidas vezes. Ser um vencedor de gigantes não acontece por acidente. Matamos os gigantes das impossibilidades quando vemos que o coração de Deus está voltado para nós.

Eu nunca pedia aos meus filhos que medissem o impacto que essas coisas estavam tendo. Não queria pressioná-los a representar para mim. O meu maior interesse era moldar o pensamento deles. Essas eram as sementes que precisavam ser assentadas por uns tempos antes da germinação. Além do mais, eu declarava algumas coisas que precisavam ser ditas. Era muito importante *incutir aquela palavra na vida deles até penetrar em seu espírito* por meio da oração e da proclamação.

A essa altura, seria muito fácil você imaginar que esses momentos que eu tinha com eles eram poderosos e sobrenaturais. E, embora isso acontecesse de vez em quando, na maior parte do tempo se tratava da disciplina da persistência. O que ardia no meu coração por eles precisava ser extravasado, portanto eu falava.

Quando o fermento está na massa, você pode descansar e observar o efeito. O pão crescerá. O Reino de Deus, a manifestação do domínio de Deus, é semelhante ao fermento (v. Mateus 13.33). O fermento sempre afeta o que está ao redor. Uma das características mais maravilhosas do fermento é que, depois de incorporado à massa, não pode ser retirado. E produzirá efeito quando for exposto ao calor. As nossas orações apaixonadas acrescentam o fogo que ativa o fermento das promessas de Deus nos nossos filhos, fazendo o pão do coração deles crescer até alcançar seu potencial.

Boas palavras, más palavras

Adoro ouvir o que Deus diz a respeito de qualquer assunto, principalmente a respeito dos meus filhos, minha família e meus amigos. Tenho a disciplina de rever repetidas vezes as palavras e promessas dadas por Deus. Mas nem tudo o que é dito procede de Deus. Há pessoas imprudentes à nossa volta que proclamam o veneno do próprio coração na vida dos nossos filhos. Algumas palavras são extremamente prejudiciais. Outras são erros inocentes proferidos por pessoas bem-intencionadas. Temos o dever de vigiar e orar.

As pessoas, até mesmo os amigos, às vezes dizem coisas sobre os nossos filhos que precisamos rejeitar. Beni e eu chamamos isso de *dar descarga*, como fazemos nos vasos sanitários. A semelhança é óbvia. Nunca se sinta na obrigação de aceitá-las quando outras pessoas projetam em você seus fracassos ou lutas na criação dos filhos. Nem se sinta obrigado a aceitar suas frustrações ou desafios como algo que automaticamente acontecerá a você. Rejeite essas palavras. Aperte o botão de descarga imediatamente.

Certa vez, uma pessoa chamou um de meus filhos de *pestinha*. Eu disse a ela que o comportamento do meu filho estava errado, mas ser pestinha não era a identidade dele. Não permito esse tipo de atitude de um adulto em relação a uma criança.

Esses comentários bem-intencionados, mas às vezes destrutivos, são feitos logo após o nascimento da criança. Por exemplo, poucas coisas são mais perfeitas na vida que um bebê recém-nascido. A maioria das pessoas se sente atraída por ele, o que é correto. Mas às vezes elas fazem comentários imprudentes dizendo que os bebês só choram, comem, dormem e fazem sujeira na fralda. Quase sempre esses comentários são feitos em tom de brincadeira, o que realmente não é um problema. Mas às vezes a brincadeira esconde sofrimento e frustração.

Não se torne imune à sutileza de tais palavras. As pessoas que gostam de se exibir são propensas a falar dessa maneira, porque os pequeninos ainda não conseguem ser hábeis nem agir de uma forma que agrade às pessoas. Claro. Simplesmente estão vivos. São seres vivos feitos à imagem de Deus e não podem fazer nada para conquistar o amor dos outros.

Nós os amamos porque eles existem. E, embora esses comentários imprudentes pareçam inofensivos, podem levar embora a alegria de cuidar de um ser pequenino que não pode dar nada em troca.

Esses são momentos de fragilidade, quando imaginamos que a maioria das mães e pais passam noites sem dormir logo após o nascimento de um filho. Se ouvirmos as reclamações das outras pessoas, tornamo-nos mais receptivos a uma perspectiva distorcida. Lembre-se: há pais que perderam um filho e dariam tudo na vida para perder uma noite de sono e ter o privilégio de trocar fraldas de novo. Tudo mesmo.

O amor é altruísta. Gostar e cuidar de alguém que não pode nos dar nada em troca é uma das atitudes mais semelhantes à de Cristo que conhecemos nesta vida. É o amor em sua expressão mais pura. Não permita que nenhuma pessoa imprudente roube de você esse privilégio extraordinário.

Então, de repente chega alguém que acha o bebê lindo, mas diz: *"Espere até ele completar 2 anos!"*. É terrível ouvir essas palavras, principalmente se for a respeito do primeiro filho do casal. Por volta dos 2 anos de idade, as crianças aprendem a palavra "não". Começam a se comportar de tal modo que chegam a enervar qualquer pai ou mãe, e mais ainda se forem inexperientes. Deus tem respostas para esses tempos e desafios. Se os temermos, eles se tornarão exagerados.

Há outras pessoas que dizem: *"Espere até ele entrar na 'escolinha' e gostar de ficar fora de casa!"*. Ou avisam: *"Espere até seu filho completar 10 anos e querer ser mais independente!"*. Sabemos que cada idade apresenta seus desafios, e parece que há pessoas que gostam de dar opiniões negativas.

Provavelmente as palavras mortíferas mais repetidas são: *"Espere até eles chegarem à adolescência! Você vai se arrepender de ter tido filhos!"*. Repetindo, tenho certeza de que muitas pessoas que falam assim estão tentando ser engraçadas. Em alguns casos, estão tentando sinceramente preparar os outros pais para os problemas que com certeza surgirão. No entanto, tais palavras só servem para magoar, nunca para ajudar.

Temos amigos que dariam tudo na vida para ter um quarto em completa desordem ou uma janela quebrada acidentalmente por uma criança que atirou uma bola em direção à casa. Dariam tudo para ter de lavar a roupa dos filhos e voltar a cozinhar para eles. Mas não podem em razão de um trágico acidente. Repetindo, a perspectiva produz esperança e agradecimento.

Quando alguém fazia esses comentários descuidados sobre os nossos filhos, Beni e eu olhávamos um para o outro, ou conversávamos depois, e rejeitávamos intencionalmente o que havia sido dito. *Dávamos descarga* nas palavras. Mas após essa decisão fazíamos uma confissão do que esperávamos no nosso lar. Reuníamo-nos e dizíamos algo mais ou menos assim: "Não, os nossos filhos não crescerão desrespeitosos e destrutivos. Não serão rebeldes nem se desviarão de Deus. A adolescência dos nossos filhos será uma alegria para todos nós, quando descobrirmos o plano que o Senhor tem para eles".

Deus conhece apenas o movimento para frente, indo de glória em glória. E tudo o que está sob seu controle se move continuamente para frente. Isso é importante, uma vez que é a natureza do próprio Deus que estabelece os parâmetros para a natureza da vida em família a ser descoberta. Em termos práticos, Beni e eu esperávamos que cada idade e fase da vida dos nossos filhos fossem melhores que as anteriores. De glória em glória. E, sinceramente, foi o que aconteceu. Amamos e apreciamos cada idade dos nossos filhos. E amamos até hoje na fase adulta.

Decidimos desde cedo a encontrar o ouro que Deus colocou em cada fase da vida dos nossos filhos e o reivindicávamos com promessas, confissões e decretos. O fato de nos recusarmos a ouvir palavras negativas a respeito deles ou a respeito de uma idade específica foi muito benéfico. Sempre rejeitamos a ideia de que enfrentaríamos as mesmas lutas e os mesmos fracassos dos outros pais. Esse posicionamento era simples, mas profundo em seu efeito sobre outros posicionamentos em relação à nossa vida em família.

Não seja ignorante

Seria uma completa tolice e ignorância fingir que não há problemas na criação dos filhos. Uma criança de 2 anos de idade nos ajuda a entender quanto somos materialistas. Elas tendem a quebrar as coisas. Em razão disso, meu tio dizia: "Toda casa precisa ter uma criança de 2 anos".

Os primeiros anos da infância apresentam, sim, desafios para nós, porque os pequeninos possuem uma tendência dada por Deus de descobrir os limites de sua independência. A adolescência apresenta uma lista enorme de alvos de oração. O corpo dos adolescentes está mudando, os apetites sexuais estão se formando, seus relacionamentos com os amigos passam a ser cada vez mais importantes e a tendência ao pensamento independente adquire nova expressão. Quanto maior o desafio, maior será a vitória. Quanto maior o gigante, maior será a recompensa.

Isso é importante, porque a nossa posição diante desses problemas da vida quase sempre determina a consequência.

Eu me arrepio todas as vezes que ouço um pai ou uma mãe dizer que odeia a adolescência, principalmente na presença de adolescentes. Essas palavras os separam emocionalmente dos adultos que os amam e os admiram, e força-os a ficar somente com os amigos, que quase sempre não têm nenhuma orientação. Eles passam a ver os amigos como os únicos que os entendem.

Palavras imprudentes criam uma situação impossível para os jovens quando detestamos a época da vida em que eles se encontram, principalmente quando percebemos que é impossível mudá-la. Pense no assunto por este ângulo: alguém extremamente importante em sua vida odeia a idade em que você está, no entanto não há nada que você possa fazer para mudá-la. Você não pode adicionar anos à sua vida. Acrescente a isso as emoções do tipo montanha-russa que os adolescentes sentem com as mudanças biológicas, e você terá uma geração à procura de lugares errados para pertencer. Pertencer é a indagação de todas as pessoas em um nível ou outro. Lembre-se: o corpo dos adolescentes está se desenvolvendo a uma velocidade projetada por Deus, o que significa que ele tem soluções e ideias para transformar a fase da adolescência em anos gloriosos e vitoriosos, a despeito dos altos e baixos.

Os nossos problemas para criar os filhos parecem cada vez mais intensos e complicados com o passar dos anos. Reconhecer os problemas é um bom ponto de partida, se for útil para recorrermos ao Senhor em tempos de necessidade. A nossa posição precisa ser de absoluta confiança em Deus, e precisamos ter uma perspectiva saudável e repleta de entusiasmo em relação ao futuro.

Na opinião de muitas pessoas, a evolução começa no momento em que elas param de se impressionar com o tamanho do problema. Se eu me sinto sufocado pela maldade neste mundo, preciso voltar o coração para Deus até ser mais sufocado ainda por sua bondade. Se me sinto desnorteado por causa da minha ignorância sobre como enfrentar determinado problema, devo me tornar mais consciente ainda de que Deus já está adiante de mim e tem uma solução muito mais específica que imagino. Se estou consciente demais a respeito da minha fraqueza em ouvir a voz de Deus, preciso dedicar afeição àquele que sabe falar alto o suficiente para ser ouvido. Conclusão: nenhum de nós está em seus melhores momentos quando nos conscientizamos mais dos nossos problemas e incapacidades do que das soluções que temos à disposição por meio da missão divina.

Apresente possibilidades

Lembro-me de quando Eric se aproximou de mim um dia para dizer que detestava as aulas de inglês. Ele tinha uns 10 ou 12 anos na época. Ouvi com interesse. Quando ele terminou, não o corrigi nem o repreendi por ter tal sentimento. Entendi as frustrações com a escola baseando-me na minha experiência. Mas disse-lhe que seria bom ele prestar atenção especial naquela matéria porque talvez Deus o usasse um dia para escrever livros para seu povo. Não foi uma profecia. Foi uma palavra despretensiosa que usei para acrescentar uma possibilidade, uma perspectiva. As perspectivas divinas sempre trazem esperança.

Vi no semblante de Eric um olhar longínquo ao ouvir minhas palavras, um olhar característico de quando ele estava ponderando algo. Depois de pensar um pouco, ele disse: "Tudo bem, papai". E o assunto terminou ali.

Não estou dizendo que Eric passou a adorar as aulas de inglês após aquele momento. Mas ele conseguiu ver propósito no sofrimento. Ele já escreveu dois livros e tem muitos outros em mente, que surgirão no decorrer dos anos.

Temos o privilégio de falar das promessas de Deus de várias formas. Algumas vezes, por meio da citação de um texto bíblico. Outras vezes, declarando um princípio para a vida dos nossos filhos, como fiz com Eric na história que acabei de contar. O ponto principal é que as nossas palavras e ações lançam *sementes nas nuvens* do propósito para a nossa família. Se não tivermos uma palavra predominante para dar aos nossos filhos, outras pessoas a terão. E provavelmente o resultado não será aquele planejado por Deus. Entenda os seus momentos, bem como os pensamentos de Deus. Depois torne os pensamentos de Deus conhecidos por meio de decreto, respaldado com oração.

Orando as Escrituras

Uma das melhores coisas que podemos fazer por nossos filhos é orar o que está escrito nas Escrituras para a vida deles. Conforme mencionei, eu orava pelos meus filhos enquanto dormiam. Também citava textos bíblicos para eles quando orava. Certas passagens se destacavam como promessas importantes de Deus para a nossa família, e eles necessitavam da atenção que só lhes poderia ser dada por meio da oração.

Nossos queridos amigos Wesley e Stacey Campbell descreveram amplamente esse assunto em seu livro *Praying the Bible*[1]. Eles realmente mostraram o caminho a respeito desse belo assunto depois que aprenderam a misturar a beleza das Escrituras com a paixão e o poder da oração.

Uma das orientações que eu seguia quando orava pelos meus filhos na infância, e agora pelos meus netos, é que eles tivessem um coração capaz de conhecer Deus. Orei especificamente por isso durante muito tempo, e grande foi o meu entusiasmo quando vi que a minha oração já estava impressa nas páginas da minha Bíblia. Jeremias 24.7 diz: "*Eu lhes darei um coração capaz de conhecer-me* e de saber que eu sou o SENHOR. Serão o meu povo, e eu serei o seu Deus, pois eles se voltarão para mim de todo o coração".

O meu entusiasmo pode parecer estranho quando vi esse versículo na Bíblia. Essa deveria ser uma oração óbvia para os pais, uma oração para deleitar o coração de Deus. Mas, quando vi que se tratava de uma oração bíblica, a confiança aumentou dentro de mim, porque eu estava orando o coração de Deus. Vi nas páginas da minha Bíblia que ele já estava dizendo *amém* ao que eu havia orado.

Esta é outra oração bíblica que eu fazia pelos nossos filhos:

> Então, na juventude,
> os nossos filhos serão como plantas viçosas;
> as nossas filhas, como colunas
> esculpidas para ornar um palácio (Salmos 144.12).

[1] Chosen, 2016, 2018.

Orando o coração de Deus, a Palavra de Deus

Minha mãe me deu (de modo semelhante a todos os pais e mães da nossa família) uma lista específica dos versículos bíblicos que ela orou fielmente durante décadas por seus filhos, netos e agora bisnetos. Tenho usado essa lista para orar esses mesmos versículos bíblicos pelos membros da nossa família, e estou incluindo-os para você no apêndice 4 no final deste livro, para que você também possa orá-los. Um lindo arco-íris de esperança e proteção se forma sobre os nossos filhos quando misturamos a beleza das Escrituras com o privilégio da oração.

As crianças que são valorizadas como uma dádiva de Deus e celebradas como uma recompensa dele se tornam armas poderosas de guerra:

> Os *filhos* são *herança do* S*ENHOR*,
> *uma recompensa* que ele dá.
> Como flechas nas mãos do guerreiro
> são os filhos nascidos na juventude.
> Como é feliz o homem
> que tem a sua aljava cheia deles!
> Não será humilhado *quando enfrentar*
> *seus inimigos no tribunal* (Salmos 127.3-5).

Como já vimos, nascemos em uma guerra. E, quando os filhos são criados em um ambiente no qual são valorizados e celebrados, eles crescerão rumo a seu propósito eterno com confiança quando entrarem nos lugares onde exercerão influência e confrontarem os poderes das trevas. Confiança em tempos de guerra, sabendo que você é valorizado e celebrado, e uma vida que não cause vergonha são os frutos de ser criado em um lar onde Deus habita.

Gosto muito de orar pelos meus filhos e netos à noite. Esta passagem de Isaías descreve como devemos despertar todas as manhãs e como nossos filhos devem despertar — com o ouvido de um discípulo/aprendiz pronto para dizer *sim* a Deus:

> O Soberano, o Senhor, deu-me
> uma língua instruída,
> para conhecer a palavra
> que sustém o exausto.
> Ele me acorda manhã após manhã,
> desperta meu ouvido para escutar
> como alguém que está sendo ensinado (50.4).

Trata-se de uma linda descrição do que é ter o Espírito Santo ministrando a você durante a noite e despertar pronto para dizer o *sim* de um seguidor de Jesus. Proteger os nossos filhos com uma oração com esse propósito é um belo privilégio.

Esta é outra passagem bíblica que tem sido muito importante para a minha família e para mim:

> Todos os seus filhos
> serão ensinados pelo Senhor,
> e grande será a paz de suas crianças (Isaías 54.13).

Embora o versículo diga "crianças", a implicação é para todos os nossos filhos, conforme afirma outra versão bíblica: "Todos os teus filhos serão ensinados do Senhor; e será grande a paz de teus filhos" (*Almeida Revista e Atualizada*). É muito importante orar para que os nossos filhos sejam ensinados no Senhor. Esse se tornou rapidamente um dos versículos principais para eu orar por meus filhos.

A missão sublime

Fazer essas orações pelos nossos filhos e netos é um dos maiores privilégios na vida. Tornamo-nos ferramentas nas mãos do Senhor, que molda o caráter e o propósito da vida deles. Contudo, a missão mais importante é dar um passo adiante. Precisamos ensiná-los a lutar tendo em mente a promessa que receberam. Paulo se dirigiu a Timóteo, seu filho espiritual, desta maneira: "Timóteo, meu filho, dou a você esta instrução, segundo as profecias já proferidas a seu respeito, para que, seguindo-as, você combata o bom combate, mantendo a fé e a boa consciência" (1Timóteo 1.18,19a).

Qual é o ponto principal? A promessa de Deus é a arma que precisa ser usada para incluir os filhos no projeto que Deus planejou para eles. Essa precisa ser uma das ferramentas que eles próprios usarão para receber tudo o que Deus lhes reservou. Larry Randolph, um amigo com o dom de profetizar, disse-nos certa vez: "Deus cumprirá todas as suas promessas. Mas ele não é obrigado a cumprir nosso potencial". Grande parte da dor que sentimos na vida encontra-se na área do nosso potencial, e foi para esse potencial que Deus nos deu a promessa. É hora de lutar com a Palavra de Deus nas mãos e ensinar os filhos a fazerem o mesmo.

A Palavra de Deus é uma dádiva maravilhosa que ele nos concedeu. Muitas gerações, e até as culturas de hoje, viveram e vivem sem a Bíblia. Ela tem sido alvo de muitas guerras e conflitos, e há líderes de cultura pronunciando sua extinção. No entanto, ela continua a ser o mais alto padrão para a vida, porque foi inspirada pelo próprio Deus. É nosso privilégio ler a Bíblia repetidas vezes. Eu não passo um dia sequer sem a Palavra. E mais importante ainda é o que essa Palavra faz em mim. Eu a memorizo, cito trechos dela e a canto. Há, porém, um tesouro maior a ser revelado para muitas pessoas. Aprenda a orar a Bíblia. Ela revela precisamente a vontade de Deus, seu coração e sua promessa para você e sua família. Orar a Bíblia é uma parte necessária da oração a partir do desconhecido.

11

GOVERNO E COISAS AFINS

O Diabo adora exercer influência no lar. Se vencer no lar, ele vencerá em qualquer outro lugar. Embora eu pouco fale a respeito dos poderes das trevas, é tolice pensar que esse ser desprezível descansará e menosprezará os nossos esforços para criar uma geração que exerça influência positiva no mundo. Uma das principais armas que ele usa nessas horas é o governo, porque os que atuam nessa área possuem autoridade dada por Deus. Evidentemente, o Diabo também usa bastante a imprensa e o sistema educacional. Mas essas áreas só recebem a autoridade que lhes concedemos com o nosso tempo e afeição. O governo recebe autoridade de Deus. Se a Bíblia não tem nenhuma influência em moldar os valores e a política que os administradores apresentam, esses governos talvez sejam bem-intencionados, mas sempre ultrapassarão a esfera de responsabilidade que Deus planejou para eles.

O objetivo dos poderes das trevas é pôr líderes nos governos que extrapolem suas funções e enfraqueçam as famílias. Precisamos de sabedoria incomum para ver a situação com clareza e saber como reagir. Há necessidade de mudança em todos os lados. E grande parte dela vem dos corajosos que criamos em casa.

Vivemos em um tempo no qual a influência do governo no lar está em ascensão. Parte disso é a reação aos relatos aterrorizantes resultantes de uma má educação. Há, porém, um enorme problema quanto a essa situação. Deus não delegou autoridade ao governo para educar filhos e, assim sendo, seus representantes não possuem as ferramentas para ser eficientes naquilo que estão tentando fazer. Eles podem proteger. Podem delegar poder. Mas não podem educar filhos.

Apropriar-se da função dos pais é um grave abuso de autoridade da parte de alguns líderes que estão tentando construir uma sociedade utópica com base em seus ideais. Trata-se de um objetivo ridículo, porque sempre parece não estar centralizado em Cristo. Cristo é a pedra angular da vida e da razão. Deixá-lo do lado de fora é a maior expressão de arrogância e futilidade. Precisamos voltar ao plano do Projetista. Precisamos conhecer o Projetista e reaprender o significado de governo quando se trata de governar um lar saudável.

A autoridade sobre a família é dever dos pais, segundo os planos de Deus. O governo tem o direito e a responsabilidade de intervir se houver atividade criminosa ou ameaça ao bem-estar dos filhos ou do cônjuge. Nesse caso, o governo tem o dever de intervir. Graças aos esforços cada vez maiores para interromper o tráfico sexual, um mal que afeta quase todo o país, o governo tem concentrado mais atenção em proteger os vulneráveis, um grande avanço em relação às gerações anteriores. Ainda assim, o problema de *quem deve educar o filho* continua. O governo não pode educar filhos. Ponto.

Quando o silêncio grita

Se não tivermos a firmeza de ensinar os nossos filhos a respeito de Deus, da vida, de valores, de responsabilidade e do propósito e destino de Deus para nós, o nosso silêncio os ensinará. Se não formos intencionais nisso, eles aprenderão a ser presunçosos e indiferentes, terão um coração dividido, vivendo covardemente e preferindo a vida secular à vida eterna. É muito importante educar e ensinar os nossos filhos. Somos aqueles a quem Deus concedeu o dom de realizar o impossível a uma geração sob nosso controle. Assim como todos os dons, o ensino se desenvolve melhor se for aplicado constantemente.

Às vezes, os pais permanecem em silêncio enquanto o governo assume a responsabilidade que Deus lhes concedeu. Esse silêncio grita. Muitas autoridades do governo adorariam poder controlar a sua casa, estigmatizando os seus filhos com sua influência irresponsável. Elas não podem dar um analgésico a seu filho na escola sem a sua aprovação, mas, em muitos estados da federação, podem permitir que a sua filha tome anticoncepcionais ou pratique aborto sem a sua aprovação. Isso é loucura. Absoluta loucura. Pessoas que pensam dessa maneira não têm o direito de governar.

Muitas autoridades governamentais são bem-intencionadas, e precisam reagir diante de algumas pessoas que demonstram grande negligência na educação dos filhos. Mas as boas intenções não podem substituir a sabedoria do plano de Deus. Não podemos ceder nesse assunto. É muito importante entender o plano do Projetista. Ore fervorosamente para saber como reagir ao desafio que você enfrenta nessa parte do mundo que lhe foi confiada.

É necessário um governo forte onde há muito pecado. "Os pecados de uma nação fazem mudar sempre os seus governantes." (Provérbios 28.2a.) Essa é a natureza das coisas na sociedade. À medida que o pecado aumenta, cresce o interesse do governo em cuidar do problema, quando, na verdade, a raiz está na falência do lar. Acredite ou não, a resposta para resolver a maioria dos males da sociedade é uma vida familiar saudável. É assustador ver a porcentagem de homens no corredor da morte que nunca tiveram um pai. Não é complicado entender. A onda precisa reverter por meio de uma abordagem da nossa parte que seja diligente, e às vezes militante (em oração e na hora do voto), para recuperar a influência no nosso estado e país. Se nos entregarmos a essa nobre tarefa, beneficiaremos a nossa família e contribuiremos para dar impulso a uma geração, a fim de que ela volte a seguir o plano de Deus, enquanto o governo retorna às funções que lhe foram dadas por Deus: proteger e delegar poder. Você é capaz de imaginar como seria se os nossos líderes governamentais aceitassem essas duas funções com sinceridade e entusiasmo? É capaz de imaginar o que aconteceria às gerações futuras? As possibilidades seriam, de fato, gloriosas e impressionantes se os líderes do governo honrassem a Deus, dedicando-se à missão que o Senhor lhes concedeu em vez de violar seu plano com lutas arrogantes pelo poder.

Como abordar os educadores

O zelo em viver a realidade do plano de Deus para o lar levará a maioria dos outros problemas da sociedade a um patamar saudável. A maioria das áreas carentes ao redor do mundo — seja por pobreza, seja por imoralidade, seja por tensões raciais ou conflitos militares — seria curada por meio de famílias saudáveis.

A sociedade moderna criou sistemas educacionais para ajudar no privilégio de educar filhos. Somos abençoados com pessoas habilidosas e compassivas, cujo único desejo é influenciar uma geração de crianças rumo a seu propósito e destino. Essa é uma das dádivas que a civilização trouxe a seu povo. No início, as escolas ensinavam tradições, habilidades e valores religiosos. Mas, com o passar do tempo, foram criadas escolas para ensinar áreas mais específicas do conhecimento, como matemática, leitura e escrita. Não discordo desse processo, desde que não prejudique o papel dos pais. No entanto, é trágico ver que a intenção da modernidade é prejudicar o papel dos pais. Deveríamos ser capazes de ter o melhor das duas situações, contando com a ajuda de professores profissionais que recebam poder dos pais, não do governo, para educar os filhos. E nós precisamos nos envolver na educação dos filhos para assegurar o resultado pretendido.

Como pais, tornamo-nos seguidores "assustados" de Jesus quando temos a necessidade de controlar os educadores ou o sistema educacional. Nós, os cristãos, somos às vezes conhecidos por querer controlar em vez de decidir onde queremos servir. Os educadores resistem automaticamente a qualquer um que tente controlá-los. Eles possuem o dom de discernimento concedido por Deus que devem usar para proteger sua responsabilidade perante a sociedade, não para ser controlados por um grupo qualquer.

No entanto, quando existem problemas que exigem ação, há um meio de abordar os educadores e obter resultados. Descobrimos que, se demonstrarmos amor por meio de um coração de servo, teremos mais facilidade de influenciar o ambiente educacional. Quando servimos os educadores e os respeitamos, temos mais condições de expressar preocupação quando surge um problema. Ganhe dividendos emocionais nesse assunto, investindo naqueles que servem a seus filhos e não exigem nada em troca.

Isto é guerra!

Conforme já mencionei, nascemos em uma guerra. Espero que esteja claro para você. Caso contrário, você estará sempre tentando encontrar sentido no que não tem sentido, e encontrará alguém para culpar pelo inexplicável. Estamos em guerra. Para intensificar a sua animosidade em relação aos sistemas ímpios que nos rodeiam, quero lembrar você da verdadeira batalha. Ela está na mente. Foca-se na mente.

Não estamos em guerra com pessoas — nem mesmo com aquelas que querem pegar os nossos filhos e criá-los em ambientes anticristãos. Estamos em guerra com as forças demoníacas que inspiram e controlam esse tipo de pessoas. A oração é a nossa ferramenta para a vitória.

O apóstolo Paulo nos dá informações preciosas para essa batalha:

> Pois, embora vivamos como homens, não lutamos segundo os padrões humanos. As armas com as quais lutamos

> não são humanas; ao contrário, são poderosas em Deus para destruir fortalezas. Destruímos argumentos e toda pretensão que se levanta contra o conhecimento de Deus, e levamos cativo todo pensamento, para torná-lo obediente a Cristo (2Coríntios 10.3-5).

Fortalezas são lugares de esconderijo para as forças demoníacas. E essas fortalezas são descritas como argumentos e pretensões que se levantam contra o conhecimento de Deus. Em palavras mais simples, esses esconderijos são domínios do pensamento. Pelo menos em parte, o domínio demoníaco se oculta nas ideias e nos pensamentos que se levantam em oposição arrogante ao conhecimento de Deus. Levar cativo todo pensamento para torná-lo obediente a Cristo é a forma de guerrear contra esses lacaios espirituais. O nosso lugar de obediência aqui nos capacita a ser eficazes além da nossa vida mental. Assim que levamos cativos os nossos pensamentos, somos exemplos de uma mente santificada, que se evidencia pelas atitudes descritas em Filipenses 4.8: "[...] tudo o que for verdadeiro, tudo o que for nobre, tudo o que for correto, tudo o que for puro, tudo o que for amável, tudo o que for de boa fama, se houver algo de excelente ou digno de louvor, pensem nessas coisas". Com a mente santificada, somos posicionados a destruir as ideias que se levantaram contra Deus por meio de outras pessoas.

No sentido mais negativo, a imprensa controla a narrativa sobre qualquer assunto. Esse não é um problema apenas americano. É mundial. Viver em meio a um bombardeio de ideais demoníacos é uma tarefa desafiadora, para dizer o mínimo. Precisamos estar armados com a verdade.

Observe, porém, que, para ser verdadeiramente eficiente, precisamos unir a verdade à compaixão. Pense no privilégio maravilhoso de influenciar o modo de as pessoas verem a realidade. Não conseguiremos isso por meio de manipulação ou controle. Conseguiremos se retirarmos a influência do mentiroso com oração, louvor e amando verdadeiramente as pessoas. Elas vivem enganadas porque vivem sob a influência do mentiroso. Quando oramos e levamos as falsas ideologias cativas para torná-las obedientes a Cristo, libertamos as pessoas para que vejam com mais clareza, às vezes pela primeira vez na vida. Esse é o privilégio que temos.

Para mim, o cenário é mais ou menos assim: digamos que tenho um vizinho que cometeu um pecado que ele imagina ser imperdoável, portanto ele não aceitará a mensagem do evangelho porque acha inútil. A minha oração por ele é mais ou menos esta: *Levo cativo o pensamento que diz que Deus não perdoará e não poderá perdoar o pecado do meu vizinho. Declaro em nome de Jesus uma revelação do amor de Deus, visto por meio de seu maravilhoso perdão, sobre a vida do meu vizinho. O desejo de Deus de perdoar é muito maior que o pecado daquele homem.*

Ao orar dessa maneira, eu lido com os domínios do engano que mantiveram meu vizinho nas trevas. Evidentemente, essa forma de orar é muito importante também para os nossos filhos. E especialmente importante se você tiver um filho (ou filha) "pródigo". Essa forma de orar é útil também para treinar os nossos filhos em uma estratégia divina que os mantêm alicerçados em amor, evitando que se tornem exasperados com as pessoas que se apegam a essas ideias destrutivas.

O problema com a verdade

Sabemos que a verdade liberta. A liberdade é um dos atributos principais do cidadão do Reino de Deus. Mas na história da Igreja é comum vermos pessoas que usaram a verdade para separar e maltratar alguém que pensava de modo diferente. Não é bom sermos conhecidos por esse modo de agir, mas infelizmente essa tem sido a reputação da Igreja há um bom tempo.

Dois dos meus heróis da fé são John Wesley e George Whitefield. Ambos foram líderes extraordinários no avivamento, moldando o rumo da história com sua intrepidez, fé e pregação poderosa do evangelho. Mas eles estavam do lado oposto do ideal teológico da época. Charles Wesley, irmão de John, enviou um poema a Whitefield, no qual havia estas palavras: "E devemos nós, agora em Cristo, com vergonha confessar: O nosso Amor era maior, quando a nossa Luz era menos intensa?".[1] Com efeito, tínhamos mais amor quando tínhamos menos luz.

É uma declaração assombrosa reconhecer que a luz (ver a verdade) requer quantidades maiores de amor se quisermos permanecer no centro do coração de Jesus por este mundo. Meu querido amigo e pai espiritual Jack Taylor explica desta maneira: "Assassinamos o amor com a verdade!".

Criar filhos com paixão e devoção à verdade é uma responsabilidade primordial. Mas, se essa tarefa for feita no contexto do amor, a responsabilidade será maior.

[1] Epistles to Moravians, Predestinarians and Methodists. By a Clergyman of the Church of England, conforme encontrado em "MS Epistles". Duke Divinity School. Disponível em: <https://divinity.duke.edu/sites/divinity.duke.edu/files/documents/cswt/05_MS_Epistles.pdf>, p. 49.

Insanidade ou compaixão?

Quero ilustrar brevemente esse conceito com uma situação que estamos vendo na Califórnia. Neste momento, há um grupo de políticos tentando apresentar um projeto de lei que diz basicamente que, se uma criança sentir que seu gênero é diferente do gênero biológico com o qual nasceu, os pais ou o cuidador não poderão ajudá-la por meio de conselhos. Eles só poderão confirmar a nova orientação sexual da criança. Os defensores desse projeto de lei estão tão focados no assunto que incluíram uma cláusula permitindo e autorizando o governo a pagar o tratamento médico necessário para mudar o sexo da criança, que, diga-se de passagem, é irreversível.

Trata-se de insanidade, disfarçada de compaixão. É a pior ideia que já vi de qualquer grupo político e parte das mesmas pessoas que acham que existem dezenas de gêneros.

> Criou Deus o homem à sua imagem,
> à imagem de Deus o criou;
> *homem e mulher os criou.* (Gênesis 1.27)

Ideias como a desse projeto de lei são aprovadas por meio de misericórdia profana, disfarçada de compaixão. Compaixão é uma necessidade de todos os envolvidos. Ponto. Devemos ser conhecidos pelo amor. Mas, no momento em que acreditamos que uma mentira se torna manifestação de aprovação, somos os maiores merecedores de piedade.

Essas pessoas não são lunáticas extremistas que vivem à margem da sociedade. São autoridades eleitas. Poucas coisas me causam tanta raiva quanto essa bobagem apresentada por fantoches políticos e ignorantes. Não há desculpa para isso.

Quando uma cultura retira o conceito de um Projetista, perdemos todo o sentido do projeto. Quando não temos mais um projeto, perdemos a responsabilidade e o propósito, e somos liberados para atender aos nossos próprios desejos. As verdades absolutas desaparecem e, por conseguinte, a sanidade restante se desfaz. Isso ocorre quando a perversão do momento é chamada de normal e os que se opõem a ela são chamados de "insensíveis e desalmados". No entanto, ninguém deixa uma pessoa no segundo andar de um edifício em chamas e diz: "Ela está feliz e é sincera. Vamos deixá-la sozinha lá". O amor verdadeiro exige ação.

Esse tipo de insanidade governa a época sempre que uma geração exalta os direitos humanos em detrimento das responsabilidades humanas. Responsabilidade é automaticamente um dever de prestar contas. E a conclusão é que as pessoas não acreditam que devem prestar contas de sua vida a alguém. É por isso que *prestar contas da nossa vida* é uma das verdades fundamentais que precisamos transmitir aos nossos filhos. Responderemos a Deus pelo que fizemos com aquilo que nos foi dado.

Use o cérebro

Necessitamos de pais que *pensem*, que estejam criando filhos que *pensem*, que estejam dispostos a entrar no meio da lama e trazer mudança. É necessário ter muito discernimento para se mover no meio do engano oferecido pela opinião pública, criado, por sua vez, por uma imprensa voltada para uma agenda própria. Embora a questão do discernimento seja muito importante, da mesma forma que a ordem de encontrar a verdade, surge um desafio maior ainda quando tentamos fazer isso sem considerar inimigas as pessoas com visão oposta à nossa.

O esforço é assustador se você sente a necessidade de agradar a todos o tempo todo, o que é impossível, claro. Contudo, muitas pessoas que não entram em controvérsias vivem na ilusão de que são simpáticas. Ausência de oposição não é simpatia. É simplesmente uma forma de paz que não pertence ao Reino, porque se baseia em algo que está ausente — conflito.

Pessoas sem argumentos quase sempre demonizam pessoas com discernimento. Pessoas que se opõem a uma questão porque possuem valores morais são, em geral, chamadas de *extremistas* pela Igreja e acusadas de *falta de compaixão* pelos descrentes. Não caia nessa misericórdia profana. É uma falsificação da coisa verdadeira e enfraquece a nossa capacidade para amar. Permite e aplaude o comportamento autodestrutivo com a desculpa de *não balançar o barco*. A verdadeira compaixão mostra grande amor e preocupação por pessoas diferentes. Há também uma disposição de nos esforçar para entender o problema pela perspectiva delas. Tais esforços produzem ótimos frutos a longo prazo.

Quando as pessoas se recusam a ver, seu único recurso é atacar a credibilidade do oponente. Isso se chama falácia do espantalho, porque desvia a atenção do assunto. Preocupo-me com as pessoas que tendem a ser moldadas pela opinião pública em vez de pelos padrões bíblicos. A *polícia do pensamento* da sociedade usa as táticas do linchamento do Velho Oeste para condenar qualquer um que ameace seus ideais.

Aqueles que são constrangidos por sentir medo do homem têm grande dificuldade de assumir uma posição, porque grande parte de sua identidade está amarrada à aprovação dos outros. A aprovação é importante, da mesma forma que pertencer e ser amado e valorizado. Certifique-se de valorizar o favor das pessoas que resulta do favor de Deus.

Esse assunto é muito importante, mas não apenas por causa das questões envolvidas. É extremamente importante que aprendamos a pensar de forma bíblica, sem demonizar aqueles que diferem de nós. Se cumprirmos bem a nossa parte, criaremos uma motivação para os nossos filhos na qual aprenderão a valorizar a verdade, ao mesmo tempo em que amarão os que pensam de modo diferente.

Criando filhos *"transformers"*

Estamos criando filhos para mudar o mundo. Literalmente. E, para mudá-lo de modo satisfatório, eles precisarão entender o significado de cultura, governo, justiça e educação. É muito importante que percebam a natureza da cultura bíblica, que se opõe ao mantra do politicamente correto dos nossos dias. O método politicamente correto é sem Cristo e soa como se fosse sabedoria, embora seja o jargão dos tolos. Não é o que precisamos para ser um novo Israel. Mas é muito importante ver como Deus diz que uma sociedade deve funcionar. O governo inspirado por Deus é distinto por natureza; proporciona proteção e delega poder. Essas coisas precisam ser primordiais para a ambição dos nossos filhos e para a estratégia de como promover mudança.

A repetição monótona de valores religiosos e a citação das Escrituras e coisas parecidas não promovem mudança. Não estou dizendo que a Bíblia não tem poder. Isso certamente seria um erro. Só que é difícil inspirar pessoas a mudarem quando citamos um livro ao qual elas não dão nenhum valor.

O que elas valorizam é o que é frutífero. É possível, no entanto, proclamarmos os princípios do Reino de Deus a elas sem citar as Escrituras.

Entenda, por favor, que não estou tentando ser agradável ou popular. Isso tem pouquíssimo valor para mim. Nem estou interessado em enfraquecer a verdade escondendo a Palavra de Deus. Mas estou profundamente comprometido com a eficiência e a sabedoria. A eficiência está no fato de que a verdade produz fruto, e é difícil negar que os princípios do Reino funcionam em qualquer lugar que tenhamos autoridade para demonstrá-los. A sabedoria está no fato de que só Deus entende quais são os verdadeiros pilares de uma sociedade que terão longa duração. Estude-os. Proclame-os. Seja exemplo deles em qualquer regra de vida.

É possível viver poderosamente e de forma transformadora, levando a sabedoria do mundo de Deus a este mundo, servindo com poder ao que é milagroso, sem nunca ser um religioso verdadeiro. Se trabalharmos só com pessoas que frequentam a igreja ou com quem valoriza a Bíblia culturalmente, a citação das Escrituras será poderosa. Não funcionará com pessoas que pensam que a Bíblia é arcaica por natureza.

Gosto da ideia de ter uma vida frutífera diante das pessoas, porque apresentamos a elas os caminhos do Reino de tal maneira que elas se tornam desejosas de conhecer o Rei. Lembre-se deste texto das Escrituras: "Provem e vejam como o Senhor é bom" (Salmos 34.8a). *Provar* é experiência. *Ver* é percepção. O que você prova influencia o que você vê. É a experiência que sempre nos dá acesso a uma mudança na percepção. Fazer isso ao não cristão é uma forma brilhante de levar pessoas a Jesus neste mundo ímpio. Deixe que elas provem a realidade do amor de Jesus e de seu governo. Essa atitude mudará o que elas veem e seu modo de pensar.

Mais uma coisa

É essencial que os nossos filhos aprendam conosco o significado de governo bíblico, porque poucas escolas ensinam essa matéria. Estude-a antes, para poder ao menos plantar sementes que se desenvolvam quando os seus filhos chegarem à fase adulta e posteriormente forem capazes de produzir mudanças. O Reino de Deus é uma forma de vida. É também muito atraente e *biblicamente* lógico, se for apresentado de modo correto. E, quando apresentado de modo correto, produzirá fruto desejável a todos.

Não escrevi este capítulo para trazer à tona ou ressaltar os males da sociedade. Para mim, essas duas coisas têm efeito de curta duração e provocam experiências desagradáveis. Não devemos ser ignorantes quanto aos problemas, claro, uma vez que vivemos no meio desse declínio. No entanto, espero que os nossos filhos se tornem a voz da razão para a geração deles.

Nem escrevo a respeito desse assunto para questioná-lo e protestar. Essa abordagem da vida é bastante insatisfatória e não corresponde à nossa missão. Atrair a atenção para o que é errado tem seus méritos, mas raramente foca aquilo que fui incumbido de fazer.

Escrevo estas coisas com esperança de ver a situação como um todo. Escrevo-as para que os nossos filhos e netos recebam as armas do discernimento, amor, sabedoria e poder — de modo que promovam mudanças duradouras nas cidades e nações do mundo. Os nossos filhos ocuparão posições de grande influência como resultado de como foram criados. Anseio vê-los com o coração ardendo de convicção em resposta ao lugar que Deus lhes concedeu na vida.

Escrevo com a esperança de um futuro melhor.

12

AVIVAMENTO RUMO À REFORMA

Os assuntos que abordei no capítulo anterior a respeito do governo e coisas semelhantes merecem um livro à parte, mas não um livro que quero escrever. Gostaria, contudo, de acrescentar algumas ideias para identificar a esperança verdadeira para todas as nossas nações. A resposta óbvia à nossa necessidade é Jesus, uma resposta que tem sido aplicada de formas diferentes ao longo da História. Às vezes, a mudança consequente é duradoura. E às vezes é uma atividade espiritual de curta duração que produz pouco efeito no longo prazo, exceto sobre aqueles que foram salvos. A salvação é a mudança suprema. Tragicamente, porém, o poder da transformação quase sempre permanece confinado às quatro paredes da Igreja.

Quando o mover de Deus deixa de ter um impacto na cultura em si, ficamos apenas com o esterco de pomba.

O esterco de pomba representa o que sobrou depois que a pomba partiu: "O cerco [a Samaria] durou tanto e causou tamanha fome que uma cabeça de jumento chegou a valer oitenta peças de prata, e uma caneca de *esterco de pomba*, cinco peças de prata" (2Reis 6.25). A pomba na Escritura representa o Espírito Santo, que desceu sobre Jesus em poder quando ele foi batizado na água. O texto diz que a pomba permaneceu sobre ele (v. Lucas 3.22). Jesus foi exemplo de um mover contínuo de Deus que mudou tudo por causa de sua presença permanente. No entanto, o esterco é o que sobra quando a pomba vai embora — isto é, quando o Espírito Santo não se envolve mais na nossa vida, nas nossas igrejas e nos nossos ministérios.

A intenção de Deus em todo avivamento é muito maior do que fazer que nós, os cristãos, experimentemos um breve empurrão na fé. Sou totalmente pentecostal e agradeço muito a minha herança. É doloroso ver que alguns dos grandes movimentos pentecostais de Deus duraram apenas alguns meses ou anos e exerceram pouquíssima influência com o passar do tempo. Certamente, as pessoas que nasceram de novo durante esses avivamentos foram transformadas para sempre, e o número delas é incontável. Ainda assim, houve pouca transformação nas cidades e nos países dessas pessoas. Não devemos nos conformar com isso. Na minha estimativa, todo avivamento traz com ele as sementes da reforma, desde que as pessoas afetadas pelo derramamento do Espírito aprendam a traduzir os efeitos na vida prática diária.

Com que finalidade você está criando os seus filhos? Qual é o propósito para eles? Evidentemente, é amar a Deus e seu povo. E, sim, para serem fiéis e boas testemunhas. Queremos que tenham sucesso em tudo. Isso é universalmente aceito. Mas o que Deus deseja desta geração? Que alvo queremos que os nossos filhos alcancem para terem grande impacto no mundo deles? Creio que devemos aprender a respeito dos grandes movimentos de Deus e nos expor a eles. Com isso, aprenderemos a ver mudanças na própria sociedade por meio dos derramamentos do Espírito.

Os altos e baixos do comparecimento à igreja

Está provado, pelo menos nos Estados Unidos, que as cidades com as maiores populações de frequentadores assíduos de igreja apresentam as piores estatísticas sociais. Jamais passou pela minha cabeça que a assiduidade na igreja seja o problema, nem acredito que a taxa de criminalidade e divórcio aumente porque as pessoas frequentam a igreja. No entanto, essa questão apresenta um desafio para as pessoas que frequentam uma igreja vibrante e supõem que, pelo fato de haver tanta vivacidade no templo e em seus programas, o fato em si exerça influência em sua cidade. Isso simplesmente não é o caso. Na minha opinião, o Diabo não quer saber se temos boas reuniões, se ficamos empolgados com a igreja e se gostamos muito de estar juntos, desde que não levemos aquelas opiniões e perspectivas para dentro da nossa comunidade, onde terão o maior impacto.

É comum os frequentadores de igreja pensarem que a resposta para os males da cidade é reunir o povo dentro dos templos. Adoro saber que as pessoas podem frequentar as nossas grandes instalações e ter a vida transformada. O problema verdadeiro, contudo, é que queremos que elas venham em vez de sair para procurá-las.

A resposta não está nem nas mais poderosas evangelizações, por mais que eu ame essas atividades. A resposta está nas pessoas apaixonadas por Jesus, pessoas que acreditam que Deus tem respostas para todos os problemas da sociedade. Com base nesse ponto de ardente convicção, saímos para ser o fermento da massa, onde a mudança é inevitável.

Assumindo responsabilidade

Penso que talvez o maior desafio que se apresenta quando encontramos um grupo de pessoas que amam sua igreja local é fazê-las abraçar os problemas que as cercam na cidade onde moram. Sei que nós, da Bethel Church, amamos estar juntos. Um dos membros da nossa igreja disse: "Eu amo todos nós". Eu também. A nossa maior força é que não precisamos de ninguém.

No entanto, essa é também a nossa maior fraqueza. Redding possui uma grande população de frequentadores de igreja. Possuímos também corajosos ministros do evangelho em cada pessoa consagrada que leva o amor de Deus às ruas da nossa cidade. De certa forma, somos excelentes nesse ponto. Mas temos também um grande número de moradores de rua e alta taxa de criminalidade. Há motivos para isso que não preciso abordar aqui. No entanto, o importante para ser falado aqui e agora é que um genuíno mover de Deus possui os elementos para a transformação da sociedade incluídos em seu DNA.

Se quisermos contribuir para o bem-estar da nossa cidade, precisamos assumir a responsabilidade de orar e agir para a melhoria da nossa região. Uma das formas mais práticas de fazer isso ao longo do tempo é ser intencional na maneira de criar os filhos. Precisamos criá-los com propósito divino.

O Movimento Povo de Jesus

Lembro-me muito bem do Movimento Povo de Jesus na década de 1970. Foi extraordinário ver milhares e milhares de jovens aceitando Jesus. Chuck Smith se tornou um dos primeiros pais daquele movimento. Ele sentia um amor incansável pelos *hippies*, apesar de suas vestimentas e odores. Quando muitos *hippies* quiseram colocar um cartaz sobre suas vestimentas na porta da igreja, o pastor Chuck acolheu todos os que estavam dispostos a entrar. Foi realmente um tempo extraordinário. A unção do evangelismo foi tão forte que muito pouco era dito. As pessoas queriam entregar a vida a Jesus. Temos uma grande dívida de gratidão para com Chuck Smith e outros semelhantes a ele que doaram sua força para aquele grande mover de Deus.

Por mais extraordinária que tenha sido aquela época, houve um problema. Talvez vários, mas o que desejo mencionar aqui foi o fato de que uma grande parte da Igreja estava esperando a volta de Jesus a qualquer momento. Os sinais dos tempos certamente apontavam para a volta dele, porque os dias eram sombrios e a maldade parecia aumentar em todos os lugares. Não me oponho à teologia da volta de Cristo. Creio firmemente que ele está voltando e que não sabemos quando. O meu problema não está ligado à ideia da volta de Cristo. Está ligado à reação da Igreja a essa promessa, porque os cristãos imaginam que ela os isenta da responsabilidade de promover transformação.

Tivemos uma geração de líderes jovens e brilhantes que se converteram durante aquele movimento. Mas eles não queriam cursar faculdade porque Jesus voltaria a qualquer momento e eles achavam que seria melhor evangelizar em vez de promover transformação. Imaginavam que o estudo seria perda de tempo. Parecia bom demais — só que não foi. Impediu a sociedade de ver o que teria acontecido a uma geração se os seguidores de Jesus que deixaram tudo para trás tivessem seguido uma variedade de profissões para representá-lo corretamente, trazendo integridade às nossas cidades e países.

Alguns dos melhores e mais brilhantes jovens não quiseram dar o que tinham de melhor no treinamento para essa finalidade. Se isso não fosse trágico o suficiente, os jovens sem Cristo buscaram alcançar seus objetivos e ambições e, consequentemente, pessoas ímpias ocupam hoje posições como professores das nossas faculdades, juízes do poder judiciário e prefeitos das nossas cidades. Em uma época em que mais necessitávamos de uma geração de seguidores fiéis de Jesus para ocupar posições de influência na vida, eles estavam espalhados por toda parte, aguardando a volta de Jesus. Temos de encontrar uma forma de antecipar com amor a volta de Jesus sem abandonar a responsabilidade de fazer o Reino crescer até a volta dele (v. Lucas 19.12-14).

Para mim, essa é uma das maiores tragédias na história da Igreja. Tivemos de fato uma geração de novos cristãos zelosos, posicionados para seguir cada vez mais seu chamado e promover mudanças na sociedade, tornando-se brilhantes em suas profissões. Eles teriam ocupado posições com poder de promulgar leis que preservassem a justiça. Como ilustres professores em universidades, poderiam ter ensinado a uma geração o significado de responsabilidade e valores morais. Teriam governado com o coração de servo ocupando posições de influência política. Mas não foi o que aconteceu. Hoje, em muitos sistemas deste mundo — educacional, judiciário, político, médico e outros — os ímpios governam. O Diabo traçou seus planos. Nós não. É trágico.

Socorro, somos pais!

Sei que meu apelo a você como pai ou mãe é, às vezes, um pouco sufocante, mas, por favor, seja persistente. Você tem uma dádiva para impactar os países do mundo — o seu filho ou a sua filha. Ele ou ela tem o potencial e a missão de destruir os gigantes dos nossos dias. Não estou dizendo que toda criança venha a ser presidente de um país ou que todas venham a ser cirurgiões cardíacos, atletas famosos ou semelhantes a Billy Graham. Mas todas têm um papel a exercer, que é o de cumprir os propósitos de Deus na terra, isto é, que todos os reinos deste mundo pertençam a ele. Completamente.

O despertamento espiritual que os seus filhos deixam para trás tem pouca relação com a função deles na vida, mas tem muita relação com a profundidade do caráter de cada um e da natureza de seu *sim* a Deus. Devemos ajudar os filhos a saber responder por que estamos aqui, qual é a nossa missão e qual é o propósito de Deus na terra. Todos podem e precisam deixar uma marca a esse respeito.

Embora eu queira ver os nossos filhos se tornarem advogados e juízes da próxima geração, quero também que se tornem CEOs que saibam o que significa a excelência, a compaixão e a criatividade quando exercerem influência sobre o sistema de valores das grandes empresas do nosso país (ou do seu). Quero vê-los ocupando cargos políticos nacionais. Precisamos que vivam em absoluta submissão e idoneidade em sua atitude de servir ao próximo, de modo que se tornem o fermento dentro, às vezes, de ambientes corruptos.

Precisamos dessas coisas para os nossos filhos e para nós. Mas, se apenas medirmos o sucesso deles pela função que ocupam na empresa ou pelos prêmios que recebem em reconhecimento a seus dons, deixaremos muito a desejar. Ester, Daniel e José foram personagens bíblicas por quem temos grande respeito. Mas nenhum deles foi presidente, primeiro-ministro, rainha ou rei de suas respectivas nações. No entanto, o *sim* que disseram a Deus poupou várias nações da ruína, libertando-as para cumprirem seu destino divino. A cada um desses líderes foi dado o privilégio de servir à pessoa que ocupava o cargo mais alto da estrutura política, em vez de servir a si próprio. Por meio de sua influência oculta, nações foram mudadas.

Pais e avós, vocês são líderes do governo mais prático e poderoso de Deus neste planeta. A família reina suprema. Embora haja muitas épocas em que a sobrevivência parece ser um objetivo suficientemente bom, por favor, nunca percam de vista aquilo que é possível nesta vida. É possível criar uma geração de filhos que conheça o poder de Deus e saiba como agir nele. E mais: ter sabedoria para ajudar a moldar o sistema de valores de sua nação nas décadas futuras. O avivamento, o maravilhoso derramamento do Espírito Santo, precisa ser transformado em impacto capaz de produzir uma reforma. Temos o dever de dar ao mundo um vislumbre do Rei Jesus governando com poder e propósito. Essa é a nossa responsabilidade privilegiada.

Calvino e outros

Comemoramos recentemente os quinhentos anos da Reforma. Quando o Senhor começou a agitar o meu coração para esse assunto, senti-me profundamente impactado por esse grupo de líderes espirituais que influenciaram a cultura de uma sociedade quando lhes foi apresentada uma ocasião favorável. Não li nada a respeito de reuniões cheias de poder, nas quais tenha havido curas e ressurreições. Pode ter acontecido, mas eles não são conhecidos por isso. A experiência pela qual passaram não seria classificada como um grande mover de Deus, conforme muitos de nós poderíamos pensar com base na nossa experiência. No entanto, eles influenciaram séculos da história mundial. Um fato extraordinário.

O assunto me provocou de tal maneira que me preparei para passar alguns dias em Genebra, a cidade profundamente ligada à Reforma, só para examinar o fenômeno. O resultado da minha viagem foi bastante convincente. Aqueles líderes espirituais promoveram mudança porque acreditaram que Deus tem respostas para cada aspecto da vida. Acreditaram que Deus era o caminho para negócios bancários, educação, medicina etc. Conclusão: Deus é prático e, às vezes, nós não somos. A herança foi para aqueles que acreditaram que Deus tinha respostas. Eles ensinaram essas respostas e as aplicaram à vida deles. Esse modo de proceder moldou o mundo em que eles viviam com os discernimentos de Deus para a vida. Isso criou uma bênção sobre uma região do mundo que ainda exerce influência a seu redor. A Organização das Nações Unidas, o Banco Mundial, a YMCA [Associação Cristã de Moços], as fábricas famosas de joias e relógios e muitas outras instituições de altíssimo padrão e serviço humanitário possuem sede em Genebra ou filiais naquela cidade. As sementes daquilo que tem valor foram plantadas séculos atrás.

Estamos criando filhos com propósito. Uma das coisas mais fáceis do mundo é perder de vista a situação como um todo, porque ficamos muito sobrecarregados com a época que eles estão atravessando — desde as fases de trocar fraldas, de nariz escorrendo, de programações na escolinha de futebol até as tentações que enfrentam no ensino médio. Em todas elas, cabe aos pais a responsabilidade de se manterem atentos ao por que, ao como e ao o quê. O ponto principal é este: há muita coisa acontecendo em todas as famílias. Mas somos responsáveis perante os filhos e o mundo que nos rodeia de nos manter conscientes do panorama completo. Estamos criando vencedores de gigantes que causarão efeito no rumo da história mundial. Ore estas palavras. Cite-as. Cante-as. Declare-as. *Estamos criando* vencedores *de gigantes que causarão efeito no rumo da história mundial!*

13

SEXUALIDADE PLANEJADA

DEUS É O PAI DA VIDA. De toda a vida. Ele criou este mundo para seu prazer e para o nosso. Ele se alegra com tudo o que fez e nos dá acesso a essa mesma alegria. Contemplamos a beleza, dia após dia, tudo porque Deus se alegra com a nossa satisfação com o que ele fez. Deus não criou o alimento só para nos dar energia e saúde. Ele planejou o alimento para nos dar prazer também. Enquanto estou escrevendo, lembro-me dos pêssegos que são entregues na minha casa todas as semanas nos meses de verão. Doces pêssegos orgânicos — puro prazer! Essa é a natureza do nosso Pai e o projeto que ele tem para cada parte da nossa vida. Confiar no Projetista é o passo mais inteligente que qualquer um de nós pode dar.

Deus criou regras e limites de comportamento para proteger a vida. Ele não os criou por ser contra a alegria ou prazer que podemos sentir. Criou-os com uma finalidade completamente oposta. Os limites impostos por Deus para a vida estão aí para proteger o objetivo que ele tem para nós — satisfação máxima, tanto agora quanto na eternidade. O pecado gera prazer, mas apenas momentaneamente. O procedimento correto proporciona satisfação sustentável durante a vida inteira.

Adoro o texto de Provérbios 10.22: "A bênção do SENHOR traz riqueza, e não inclui dor alguma". Quando as reviravoltas da vida procedem da mão de Deus, elas não vêm acompanhadas de tristeza. Não há nenhuma parcela residual no final da dívida que nos faça arrepender da decisão de obedecer a Deus. É importante entender o princípio envolvido nesse versículo. Se a minha "riqueza" vem da minha mão — quer por meio de ganho financeiro desonesto, quer por pecado sexual, quer por autopromoção —, ela vem acompanhada de um custo. Sempre. Há sempre dor vinculada ao prazer fora do plano de Deus. Não é castigo. A dor é causada sempre que violamos o plano. Nesse caso, a dor e o sofrimento pelo pecado são lembretes de que não somos Deus, não podemos planejar o nosso caminho e precisamos aderir ao propósito dele para descobrir por que estamos vivos. Repetindo, Deus nos criou com um propósito específico, tanto para o prazer dele quanto para o nosso.

A alegria do sexo

Deus criou o sexo para ser desfrutado. O sexo visa tanto à procriação quanto ao prazer. Mas Deus criou também a direção e o contexto para o sexo. Ele deve ser desfrutado somente no relacionamento estipulado por Deus chamado casamento entre um homem e uma mulher. Qualquer coisa diferente disso é pecado. O sexo pode levar ao prazer imediato, mas tem um custo. O pecado custa caro.

Kris Vallotton, fundador da Revolução Moral, lembra-nos de que a primeira pessoa que ensina alguém sobre um assunto cria o padrão que serve de medida para todas as novas informações. Significa que, quando os pais criam um ambiente sexual saudável, ensinando aos filhos o lugar e o propósito da nossa sexualidade, aquilo que as crianças ouvem dos educadores e amigos será confrontado com o padrão que os pais já estabeleceram.

Infelizmente, muitos pais não falam no momento certo e esperam até que os filhos já tenham sido doutrinados sobre o assunto do sexo por um sistema ímpio. Dessa maneira, suas instruções e informações passam a ser medidas com base no que a criança já aprendeu, criando uma batalha cada vez maior a partir daí.

Pureza com um anel atrelado a ela

Quando os meus garotos começaram a se desenvolver e amadurecer, convidei-os separadamente para um jantar especial. Beni fez o mesmo com Leah. Fizemos um trajeto de carro de Weaverville até Redding para aquela refeição especial a dois. Conversamos com eles mais uma vez sobre sexualidade e por que Deus nos deu o desejo sexual. Se existir vergonha sobre o desejo sexual e a sexualidade, essa vergonha levará a pessoa a práticas secretas. Você não quer ser um pai ou mãe assim. Você com certeza prefere um senso de abertura e sinceridade, no qual possa falar sobre essas coisas com os seus filhos. Fomos muito intencionais a respeito de estabelecer aquele ambiente com os nossos filhos, e a refeição fora de casa acompanhada de uma conversa fez parte do plano.

É mentira pensar que o desejo sexual nos define e controla. Não somos definidos pelas tentações que nos rodeiam. A resistência às coisas que não fazem parte do plano e do propósito de Deus nos fortalece. E essa força se manifesta em muitas outras áreas da vida quando aprendemos a dizer sim ao que é certo. Autocontrole não é simplesmente a capacidade de dizer não ao que é errado. É o compromisso total ao *sim* correto que enfraquece as forças contrárias.

Ter autocontrole sobre o apetite sexual é maravilhoso. Quando casamos, podemos então nos entregar completamente ao nosso cônjuge de uma forma que somente ele poderá desfrutar conosco. Naquele dia especial, entregamos ao nosso cônjuge algo que lutamos para proteger — a pureza sexual. A dádiva da pureza da noite de núpcias é bela. É inestimável e merecedora de ser protegida.

Depois da conversa, entreguei a cada um dos meus filhos um anel muito especial para significar a aliança perante Deus e perante mim. Aquele anel de pureza era um lembrete material de um valor acordado entre nós para a vida deles.

Como pais, não devemos destruir a alegria da fase do amadurecimento e do namoro dos nossos filhos. Devemos dizer basicamente: "O que você deseja ter é um casamento feliz. E é disto que você necessita para alcançar esse objetivo".

O propósito e os padrões do namoro

Há muita coisa incorporada à nossa cultura atual que leva as pessoas a ter uma experiência sexual. O namoro não deve refletir esse falso padrão estabelecido por uma sociedade ímpia. O sexo é destinado ao casamento. Ponto.

Em razão das preocupações com os nossos filhos, Beni e eu estabelecemos regras para o namoro deles. Curiosamente, muitas pessoas têm recorrido a Beni ao longo dos anos para indagar a respeito dessas regras. Conforme mencionei, os amigos de Brian vinham a nossa casa com ele para conversar sobre esses assuntos com Beni. Ela se tornou campeã de todas as coisas certas e puras. Era tão eficiente nesse assunto que até hoje as pessoas lhe perguntam quais são as regras bíblicas para o namoro. Alguém diria a um amigo: "Você precisa falar com Beni. Ela o ajudará a saber o que fazer".

Aqui estão algumas regras que Beni e eu estabelecemos para os nossos filhos em relação ao namoro:

1. Nunca fique sozinho em casa com uma pessoa do sexo oposto.
2. Não faça nada que crie expectativa ou desejo de um encontro ou experiência sexual. Seja um filme que você esteja vendo, seja um toque físico, não crie uma expectativa de algo que seja errado.
3. Participe de atividades saudáveis com outras pessoas que tenham o mesmo modo de pensar. Tragicamente, muitas pessoas que vêm a Cristo vivem muito abaixo dos limites da moralidade. Sempre que possível, fique longe de pessoas que não seguem à risca os valores que você aprendeu, principalmente quanto ao namoro.
4. Nada de beijo de língua. É uma forma maravilhosa de beijar, mas provoca excitação sexual. Beni e eu decidimos logo no início do nosso namoro a não nos beijar dessa maneira. A excitação sexual antes do casamento

cria um falso padrão para um relacionamento saudável. O sexo é extremamente importante no casamento, mas, por mais importante que seja, é uma parte muito pequena do relacionamento. Esforce-se para aprender a se comunicar.

5. Seja prudente. Participe de atividades que reforcem os objetivos de um namoro saudável e, ao mesmo tempo, evite tentações sexuais. Estar juntos em lugares públicos é bom, principalmente nas atividades da igreja e outras semelhantes. Acho que Beni e eu tivemos apenas duas situações de namoro nos dois anos antes do nosso casamento: na casa dela com sua família presente ou participando de atividades com outras pessoas da igreja. Os ambientes na igreja e na família são bons.

O namoro tem a finalidade de conhecer mais a fundo a personalidade, os valores, as tradições e o modo de pensar da pessoa na qual estamos interessados. Não é necessário que o casal tenha a mesma formação e a mesma personalidade. É mais divertido quando há diversidade. Mas essa diversidade deve ser acompanhada de entendimento, caso contrário haverá problemas. Para se construir um relacionamento de confiança, há um longo caminho a ser percorrido entre o entendimento e a valorização das diferenças, no qual a boa comunicação é a norma.

Assim que o os dois decidirem se casar, um ou ambos poderão dizer: "Já que vamos nos casar, vamos fazer sexo agora". Preste atenção: isso continua a ser errado. E, se alguém transgredir a lei de Deus antes do casamento, provavelmente a transgredirá depois do casamento, por meio do adultério. Nos casos em que esses padrões foram rompidos, há perdão. Mas é preciso também haver cura do problema que causou o erro. Grandes pecados necessitam de grandes arrependimentos.

O ato do casamento

Quando duas pessoas se envolvem em um relacionamento sexual, elas se tornam uma. Esse belo mistério foi criado para o casamento. União e unidade é o desejo de Deus para cada casal que permanece diante do altar. É a natureza do próprio Deus — Pai, Filho e Espírito Santo. E, como tal, é esse o propósito dele para os que somos casados.

Esse mistério maravilhoso da vida deve ser valorizado pelo que ele é — um plano de Deus. É nesse contexto que descobrimos que o casamento tem a finalidade de ilustrar Jesus e seu amor por sua Noiva, a Igreja (povo). O casamento foi idealizado para ser a sombra dessa realidade maior. Jesus ama a Igreja e se entregou por ela.

Após nossa conversão, tornamo-nos um com Deus. Essa realidade ilustra a beleza do casamento. É desejo de Deus que o lar seja o ambiente saudável conhecido no céu. É aí que o marido e a esposa vivem em unidade, e os filhos são criados nessa atmosfera. Conforme mencionei, a descendência consagrada é o resultado e foi o objetivo de Deus desde o início (v. Malaquias 2.15).

A parte assustadora dessa equação surge quando olhamos para aqueles que cometem adultério. Tendo uma vida imoral, as pessoas cedem uma parte delas próprias repetidas vezes. Quando um homem se une a uma prostituta, ele está unindo o Cristo dentro dele com a prostituta. Essa ideia deveria aterrorizar todos os cristãos verdadeiros, porque macula o imaculável — o nome de Jesus. Não é essa a advertência de 1Coríntios 6.12-20? Eu creio nisso. Apesar de ser impossível profanar o nome de Jesus por meio das nossas ações, o mero pensamento de violar o privilégio de ser um com Cristo deveria ter um efeito realista em todo cristão que esteja pensando nessa opção imoral. A mesma advertência contra tal mistura é ensinada em 1Coríntios 10.21,22: "Vocês não podem beber do cálice do Senhor e do cálice dos demônios; não podem participar da mesa do Senhor e da mesa dos demônios. Porventura provocaremos o ciúme do Senhor? Somos mais fortes que ele?".

Regras procedentes do amor

Quando os meus filhos eram pequenos, morávamos à beira da Highway 299, que começava em Eureka na costa da Califórnia, passando por Weaverville até Redding e mais adiante. Era uma rodovia de duas pistas, porém muito movimentada, com tráfego extremamente perigoso. A indústria de extração de madeira é muito grande naquela região por causa das florestas que nos cercavam. Tive, então, de criar regras para a segurança dos meus filhos.

Sempre desejei que os meus filhos me obedecessem porque eles sabiam que eu era prudente e estava constantemente atento aos interesses deles. Era pura lógica eu dizer que eles não podiam atravessar aquela rodovia. Não me passava pela cabeça ver os meus filhos de idades entre 5 e 10 anos tentando vencer os perigos da estrada. Era a receita certa para uma tragédia. Portanto, a minha instrução para eles era mais ou menos esta:

"Não atravessem a estrada. Se tentarem e conseguirem sobreviver, vamos ter uma conversa séria quando voltarem".

Certo dia, um amigo meu foi a nossa casa para conversar. Ele era subdelegado do condado. Contou-me que acabara de fazer uma manobra brusca com o carro para não atropelar uma criança na estrada — um dos meus filhos. Ele havia desobedecido à minha regra. Agradeci sinceramente ao meu amigo pela informação e depois tive uma "reunião" com o meu filho. Nunca mais voltou a acontecer.

Eu não me importava nem um pouco se as regras que impunha aos meus filhos os fizessem pensar que eu era rude ou injusto ou não os entendesse. Eu os queria vivos. Para ajudar, incuti na mente deles quais seriam as consequências da desobediência. E, se me desobedecessem e continuassem vivos, mesmo que não houvesse consequência, haveria a possibilidade de que continuariam a ser desobedientes enquanto vivessem.

As leis e os mandamentos de Deus têm a finalidade de proteger a vida. De proteger o amor. Ele é um Pai muito melhor em todos os sentidos. Incute em nós uma conscientização das consequências e recompensas. Se permanecermos atentos a essas coisas e ajudarmos os nossos filhos a permanecerem conscientemente longe delas, teremos uma maravilhosa vantagem na vida.

Os nossos padrões

Tínhamos padrões rígidos sobre como viver em casa. Embora o padrão a seguir talvez não seja importante para vocês, era para nós. Não permitíamos música secular em casa. E não me sinto no dever de me desculpar. Sei como a música me afetou na infância e decidi não permitir que a minha família fosse influenciada por letras de músicas seculares. Foi decisão minha. No entanto, tenho muitos parentes e amigos que pensam completamente diferente de mim, e os respeito muito porque conseguem administrar muito bem esse assunto na casa deles.

A minha preocupação é que, quando ouvimos uma música ou assistimos a um filme, às vezes assimilamos inconscientemente a imaginação de outra pessoa. A imaginação é maravilhosa — quando influenciada pelos valores do Reino. Aliás, a imaginação submetida a Deus se torna imaginação santificada. Essa é a imaginação posicionada para visões e sonhos. Às vezes, porém, somos expostos a uma imaginação muito perversa na tela da televisão ou em uma música. De qualquer forma, não quero transformar o meu padrão em lei. Apenas pense bem no assunto.

Escolhemos viver dentro de padrões rígidos em casa desde o início. Em vez de permitir muitas influências seculares, concentramos o coração naquilo que o Senhor estava abençoando. Fomos intencionais nesse assunto. Sejam quais forem os padrões que você estabelecer, certifique-se de proteger a sua família de influências desnecessárias e perversas. Esse é o ponto principal. Você pode permitir muitas coisas, mas lembre-se de controlar as atitudes e os valores que as pessoas da sua família poderão adotar como resultado do impacto daquilo que você permitiu entrar na sua casa.

Vergonha e planejamento

Não há nenhuma vergonha no sexo instituído por Deus, mas a vergonha é inevitável fora do plano de Deus. Grande parte da luta e animosidade nessa área é provocada por pessoas que tentam culpar a Igreja e/ou a sociedade por terem criado regras morais com as quais elas não concordam. No entanto, dia após dia essas pessoas violam o plano de Deus. A vergonha é inevitável nesse caso, porque a lei de Deus está escrita no coração delas. Os valores morais não são regras impostas externamente; são uma expressão da consciência.

A única maneira de viver livre da vergonha é ter uma vida de pureza. E a única outra maneira é continuar no pecado até que sua consciência seja cauterizada. Como resultado, o coração do transgressor persistente vai morrendo pouco a pouco.

O pensamento dominante ao longo de toda a vida precisa ser este: prestaremos contas dos nossos atos (v. 2Coríntios 5.9-11). Pode parecer que eu esteja batendo muito na mesma tecla. Mas chegará o dia em que as pessoas desejarão ter ouvido falar um pouco mais do momento dessa prestação de contas. Esse lembrete não tem o propósito de manipular o coração dos nossos filhos e de outros por meio do medo. É uma dádiva de Deus que nos capacita a viver com sabedoria e a criar um modo de vida responsável.

O modo segundo o qual vivemos em casa, exigindo prestação de contas uns dos outros com misericórdia e graça, fornece um contexto no qual os nossos filhos aprenderão o que Deus valoriza em um ambiente saudável. A sexualidade é um assunto maravilhoso, desde que mantida dentro da perspectiva divina. Causa divisões e é perversa fora desse contexto.

Homossexualidade

A homossexualidade está se tornando um tema importante hoje em dia para a Igreja. Os participantes desse movimento — que é político por natureza — têm conseguido mudar a opinião pública em seu favor usando uma estratégia que dura décadas.

Eles se alegram com pequenas vitórias, mas sempre tiveram a intenção de estar no controle. No entanto, essa popularidade recém-conquistada não corrige o erro.

Amar as pessoas, sejam quais forem seus problemas, é a nossa missão principal. Concordar com as opiniões e o modo de vida delas não é necessário para mostrar-lhes amor verdadeiro. Precisamos aprender a amar sem rejeitar as pessoas das quais discordamos. Contudo, é igualmente importante não sucumbir à pressão de concordar com o que está errado, para demonstrar compaixão. Grande parte do que Deus está fazendo na terra será destruída se cedermos na questão da homossexualidade. É como uma mosca no mel. Alguns dos melhores estudos que conheço sobre esse assunto estão nos livros sobre Revolução Moral de Kris Vallotton e ensinamentos *on-line*.[1]

Jesus está voltando para sua Noiva, não para seu namorado. No momento em que retiramos o Criador da consciência da sociedade, não temos mais lei, porque não existe mais nenhum mérito no nosso propósito e criação. A nossa criação física testifica a intenção de Deus. Ele nos criou homem e mulher. Há dois gêneros. E aqueles que pensam de modo contrário necessitam de compaixão e ajuda. Mas, se concordarmos com eles, estaremos violando a natureza, a Palavra e a criação de Deus.

Nos sistemas de ensino modernos, os nossos filhos provavelmente conviverão com outras crianças que estão lutando com questões de identidade de gênero. Em geral, a questão de gênero é inspirada de forma demoníaca e o inimigo entra em lugares onde existe fraqueza. Às vezes, envolve abuso sexual infantil, ausência do pai, pornografia e outros assuntos relacionados.

[1] Para obter mais informações, acesse: <https://moralrevolution.com>.

Se os seus filhos têm amigos que estão lutando contra isso, podem oferecer compaixão e oração, sem concordar com os amigos sobre assuntos subjacentes. Ajude os filhos a entender o que existe nos bastidores, de forma que sejam uma solução redentora para os amigos. Mas eles precisam entender que existem homem e mulher. Não há outra opção. Os seus filhos poderão falar dos pontos positivos que veem nesses amigos. Nesses tipos de contextos, é muito importante encontrar coisas boas nas pessoas e mencioná-las.

Os especialistas em pecado sempre fazem seu ponto de vista parecer atraente. O apelo à nossa consciência para demonstrar compaixão nos leva a isso. Por conseguinte, muitos cristãos não sabem amar com compaixão sem concordar com o ponto de vista da pessoa que amam. E o clima político atual não tem ajudado em nada para a solução desse problema. Discordar de uma posição é um convite para todos os tipos de ataques e comentários injuriosos. Muitas pessoas não suportam tal pressão e se sujeitam às mentiras.

Amando sem indignar-se

Um dos maiores desafios da vida é saber amar as pessoas sem guardar mágoas por suas ofensas. Você é capaz de servir a estudantes universitários sem ficar indignado com um partido político? É capaz de servir aos pobres sem ficar indignado com uma grande empresa? É capaz de servir ao rico sem ficar indignado com pessoas que não trabalham? É capaz de servir às crianças sem ficar indignado com aos adultos que não as priorizam? É capaz de servir aos adultos sem ficar indignado com o adolescente que não demonstra nenhum respeito por eles?

É capaz de servir em missões no estrangeiro sem ficar indignado com os ricos da Igreja que não fazem quase nada para levar o evangelho ao mundo? É capaz de servir a uma raça sem ficar indignado com outra, e vice-versa?

A lista de perguntas é quase infinita. O desafio diante de nós é gigante. Ter compaixão das pessoas quando sofrem é uma das nossas missões mais valorizadas. Ame-as sem julgá-las. E permaneça firme na verdade bíblica. Não é necessário concordar com elas para mostrar amor por elas.

À medida que a sexualidade é redefinida pela mais recente perversão dos nossos dias, precisamos estar mais determinados a proteger o que é certo, sem fazer parceria com o espírito político para obter vitória moral. As pessoas com espírito político usam táticas manipuladoras para ameaçar e persuadir o povo com seu modo de pensar. A verdade é atraente para aqueles que amam a verdade. Não use as Escrituras para derrotar o ofensor. Não há recompensa para quem age corretamente. Mas há uma recompensa por amar aqueles que não retribuem o nosso amor.

O sexo foi criado para o prazer, de acordo com o plano de Deus e dentro do contexto para o qual ele o planejou. Quando ensinamos os filhos a aceitar o plano de Deus para a sexualidade, nós os preparamos para obter o máximo de alegria, prazer e realização nessa área. O propósito por trás do treinamento bíblico não é o de apenas manter os filhos longe daquilo que os destrói, mas também capacitá-los a ter uma vida plena de prazer que Deus deseja para cada pessoa casada. Essa é a sexualidade correta, e esse deve ser o objetivo de cada pai ou mãe para proteger e delegar poder a seus filhos nessa área.

14

EXPOSIÇÃO ÀS NECESSIDADES DO MUNDO

A EXPOSIÇÃO À RADIAÇÃO É extremamente perigosa e pode levar à morte. Por exemplo, a exposição por tempo prolongado, mesmo que seja a pequenas quantidades de radiação, aumenta extraordinariamente o risco de câncer. A exposição a grandes quantidades, mesmo por pouco tempo, pode produzir efeitos negativos, inclusive sintomas de náusea, queimadura de pele, perda de cabelo e até função orgânica reduzida. A radiação é mortal.

Sei que este é um modo estranho de iniciar o capítulo de um livro sobre criar filhos capazes de transformar o mundo. Mas não consigo encontrar um exemplo melhor para o conceito de exposição. Que tal se eu dissesse que existem coisas mais poderosas que a radiação, mas com efeitos positivos sobre a criança em vez de negativos? Esse entendimento nos capacita a ser mais intencionais na criação dos filhos, sabendo que, se expusermos seletivamente os nossos filhos às coisas certas, o efeito será maravilhoso na vida deles.

Para pôr essa ilustração em prática, você precisará parar de pensar nos efeitos negativos e começar a pensar em como seria se houvesse um elemento igualmente eficaz que produzisse um efeito positivo nas pessoas simplesmente se elas fossem expostas às coisas certas. Em outras palavras, o tipo de exposição de que estou falando é muito mais poderoso que a radiação, mas muda as pessoas para melhor.

A exposição ao Reino de Deus é o elemento que causa um impacto muito maior. É o fermento cuja influência cresce em tudo o que está em contato com ele. Causará um impacto eterno naqueles que forem expostos ao acordo verdadeiro. Precisamos saber ensinar e treinar os nossos filhos por meio de tipos corretos de exposição.

Compaixão é a norma

Os estado-unidenses vivemos em um país muito privilegiado, o que não significa que todos aqui sejam ricos e famosos. Significa, sim, que temos acesso a coisas às quais nem todos têm. Vemos isso quando viajamos a outros países do mundo. Beni e eu não queríamos criar filhos que imaginassem ter direito a tudo, que sentissem que o mundo lhes devia algo, portanto decidimos desde cedo que deveríamos mostrar-lhes as necessidades do mundo.

Quando vemos alguém sofrendo, é normal sentir tristeza. É normal chorarmos com os que choram. É normal uma criança querer dar todos os seus brinquedos quando vê outra vivendo na pobreza. Isso é normal. Prova que os nossos filhos estão vivos. Não precisamos ensinar essa lição a eles.

É importante dar exemplo de compaixão em casa, mas a compaixão já existe no coração dos filhos. É importante reconhecer que Deus já incutiu a compaixão neles, e depois levá-los a ambientes nos quais esse sentimento virá à tona e amadurecerá com o passar do tempo.

Você deve sempre mostrar essas coisas aos seus filhos para que o coração deles nunca fique amortecido ou insensível.

Pobreza e sofrimento

Conforme já mencionei, moramos durante vários anos à beira da estrada principal que atravessava Weaverville, Califórnia. Em razão disso, as pessoas que passavam pela cidade quase sempre paravam para pedir comida, dinheiro para gasolina ou, às vezes, um lugar para dormir. Nós sempre tentávamos fazer o melhor para ajudar em qualquer situação que surgisse.

Era mais ou menos comum os nossos filhos acordarem de manhã e depararem com uma pessoa estranha dormindo no chão da sala. A pessoa tomava o café da manhã conosco antes de seguir seu caminho. Os meus filhos nunca sentiram medo disso, porque eu estava sempre presente para protegê-los caso fosse necessário.

A segurança da minha família é minha preocupação e responsabilidade principais, portanto nessas ocasiões é muito importante orar por discernimento. Há pessoas que você nunca deve convidar para entrar na sua casa quando as crianças estiverem presentes. Escolhíamos servir a pessoas com problemas e mostrar aos nossos filhos suas necessidades imediatas de alimento e abrigo. Embora o motivo para servir àquelas pessoas fosse amá-las como Deus as ama, era grande o efeito que ele causava nos nossos filhos. Eu lhes mostrava as necessidades de pessoas que jamais seriam capazes de nos pagar. Era importante que eles assumissem uma posição na qual seu coração fosse tomado por compaixão. Essa é a minha obrigação para com eles. Isolar os filhos do sofrimento de outras pessoas é uma forma inaceitável de viver.

Um casal que ainda não se casara aceitou Cristo enquanto passava pela cidade. Beni e eu realizamos a cerimônia do casamento deles na nossa sala. Kris e Kathy Vallotton estavam presentes e foram testemunhas. Realizei muitos casamentos nos meus mais de quarenta anos de pastorado e não me lembro de nenhum casamento tão poderoso quanto aquele. A presença de Deus encheu a nossa casa de maneira tão bela e poderosa que me marcou para sempre.

O casal acabou vindo morar na nossa casa por uns tempos depois do casamento. Não os convidamos para morar conosco para que as crianças aprendessem uma lição de bondade e hospitalidade. Fizemos isso totalmente pelo casal. Mas os nossos filhos sempre se beneficiam quando vivemos para as pessoas, como se fosse para o Senhor. A vida em si passa a ser a lição.

Missões

Em quase todos os anos, levávamos os nossos filhos no verão a um orfanato chamado Rancho de Sus Niños, em Tecate, México. Aliás, o nosso filho mais velho, Eric, morou lá como voluntário durante uns tempos depois de terminar o ensino médio. Esse ministério não possui apenas um orfanato; possui também uma escola para crianças e implanta igrejas e treina pessoas para o ministério em sua escola bíblica. Trata-se de um ministério totalmente incomum por causa de sua variedade de ministérios e expansão de influência, tendo chegado recentemente à Romênia.

Os nossos filhos colaboraram com trabalho manual nas instalações desse ministério, que estava constantemente em expansão. Também sentiam muita alegria ao brincar com as crianças no orfanato. Uma nota digna de ser destacada para todos nós foi a de levar alimentos e roupas às pessoas que moravam em um aterro sanitário nas proximidades. Uma pobreza absoluta reinava sobre aquelas pessoas queridas. Elas ganhavam a vida vasculhando o lixo para encontrar coisas para usar ou vender. Era de partir o coração. Mas aceitavam os nossos esforços para ajudá-las e demonstravam muita gratidão.

É doloroso ver pessoas com esse tipo de necessidade. Não podemos deixar de lado essas necessidades nem ser insensíveis ao sofrimento dessa gente. Mostramos que continuamos vivos quando o nosso coração dói diante de tal sofrimento. A maioria das pessoas se isola para não ter esses sentimentos de desconforto, mas não podemos nos dar a esse luxo. Beni e eu decidimos nos expor e expor os nossos filhos às necessidades dos demais. Como família, precisamos estar conscientes das necessidades humanas e nos expor a elas. Essa foi uma parte importante da nossa estratégia para criar os nossos filhos. O músculo da compaixão precisa ser exercitado, não protegido. A exposição intencional é muito importante.

Essa era apenas uma pequena parte do nosso compromisso com as missões mundiais. Fui criado para dar grande valor à proclamação do evangelho às nações do mundo. É muito importante colaborar financeiramente e apoiar com orações as partes do mundo que não podem receber nenhum benefício direto nosso. Os grandes missionários estadistas C. T. Studd, Jim Elliot e outros disseram: "A luz que brilha mais longe é a que brilha mais perto de sua origem". A atenção dada ao grito internacional de ajuda não enfraquece o brilho da luz do evangelho na nossa cidade. Ela o amplia, porque Deus grita "Sim!" para nós, aceitando a nossa missão na vida.

Eric também fez parte de um grupo de jovens que levavam Bíblias clandestinamente para a China. Na época, ele tinha 15 anos. Aos 14, Brian me acompanhou em uma viagem missionária à Índia. Nos primeiros anos da adolescência, Leah fez parte de um grupo que levava o evangelho às ruas da Espanha. Foi uma tarefa incrivelmente difícil para Leah, e ela precisou de muita coragem para ministrar nas ruas cantando em uma língua que ela não conhecia. Seu amor pelas nações deu-lhe a coragem de fazer isso com grande habilidade. E sua habilidade era tal que as pessoas pensavam que ela falava espanhol.

O ponto principal é este: a necessidade de ouvir a mensagem do evangelho e o sofrimento causado pela pobreza e pela doença nos dão oportunidades de ajudar pessoas que nunca terão condição de nos pagar. A ideia comum é que o problema é tão grande que jamais conseguiremos resolvê-lo. E isso é verdade. Mas podemos tocar alguém. E precisamos. Pode ser que a falta de recursos financeiros ou de boas oportunidades impossibilite a sua família de fazer viagens missionárias para outros países. Colabore, então, com a missão de sua cidade ou sirva refeições aos moradores de rua. Faça alguma coisa.

Desenvolver conscientização nos nossos filhos sobre a necessidade do mundo de ouvir o evangelho é uma parte enorme da nossa responsabilidade como pais. A experiência em primeira mão que lhes proporcionamos na infância ajuda a multiplicar milhares de vezes o efeito das nossas palavras a respeito de missões. Essa é minha dívida para com os meus filhos. Enquanto escrevo estas palavras, estou enviando uma das minhas netas mais velhas a uma viagem missionária ao Brasil com o meu amigo mais querido, Randy Clark, do Global Awakening Ministries. Ela fará parte de um grupo de jovens que se doará para servir, pregar e orar pelos enfermos.

Filhos adotivos

Outra parte da nossa tentativa de expor os filhos às necessidades do mundo foi acolher crianças carentes para morar conosco. A generosidade e a compaixão da minha filha, Leah, tornou isso possível, porque ela abriu mão de seu quarto durante um período para que as crianças tivessem um quarto só para elas.

O caso mais trágico que tivemos envolveu dois garotinhos cuja mãe se matara por causa dos maus-tratos que havia sofrido. Depois de mais ou menos um ano, o pai fez o mesmo. Eles eram cinco no total, e cuidávamos de dois. Dizer que estavam traumatizados é um eufemismo, como você pode imaginar. Eles recebiam aconselhamento semanal proporcionado pelo departamento de creches do nosso município. Sou muito grato por esses serviços serem acessíveis às crianças carentes.

Foi interessante ver como aqueles dois garotos, por volta de 4 e 6 anos de idade, se sentaram conosco à mesa de refeições pela primeira vez. Pegaram toda a comida que conseguiram alcançar e passaram os braços em torno dela para que ninguém as tomasse deles. Ficou claro que nem sempre eles tinham o que comer e que haviam sobrevivido sem a ajuda de ninguém. Asseguramos aos garotos que eles teriam toda a comida que quisessem e que haveria mais no dia seguinte.

A vida dos garotos começou a mudar imediatamente, e eles foram dispensados do aconselhamento apenas algumas semanas depois de morar na nossa casa. Para nós, foi um milagre, assim pensamos, porque os problemas dos garotos tinham raízes muito profundas. É também um testemunho do impacto do amor de Deus no coração de uma criança quando ela entra em uma casa ou ambiente seguro. A cura é completa.

O lar dos cristãos deve ser um lugar de segurança e refúgio. A vida não é justa, nem todos são bondosos, amáveis e respeitadores. Mas o lar é o lugar para onde cada membro da família volta a fim de adquirir força e poder para o dia seguinte. Essa é a beleza da família. É o único lugar onde todos se sentem ambientados.

Evitando a dor

Se já existiu uma cultura que evita a dor, essa cultura é a dos nossos dias. Ouvi falar de um programa no rádio anos atrás no qual um psicólogo estava sendo entrevistado. Ele mencionou ao apresentador que, em sua opinião, uma porcentagem muito grande de doenças mentais é causada na tentativa de evitar a dor. Trata-se de uma afirmação extremamente importante. Ninguém gosta de sentir dor, nem devemos gostar. Mas evitar o que é normal na vida pode levar a pessoa a lugares de grande irresponsabilidade e negação da realidade.

Quero deixar bem claro que odeio sentir dor. Qualquer tipo de dor. Mas, sem dor, a criança ficaria com a mão no forno quente, destruindo uma parte do corpo. Sem dor, o atleta continuaria a correr, talvez provocando lesão permanente em uma parte machucada do corpo. Sem correr o risco de sentir dor emocional em um relacionamento, não há chance de receber amor. Eu posso ser amado na mesma medida que sinto dor.

A atitude mais sábia de todas é usar a dor em nosso benefício. Isso começa com gratidão no período intermediário da dor, encontrando uma promessa e uma solução bíblicas. Confesse e proclame a promessa de Deus, tendo a certeza de que você está comprometido em fazer tudo o que Deus pediu. Temos confiança no desejo e na capacidade de Deus de fazer justiça na nossa vida e que ele nos recompensará muito mais se alguém nos tratar injustamente. Caso a nossa dor foi causada por um erro nosso, Deus perdoa e restaura.

Se criarmos os nossos filhos para viverem dessa forma, eles terão décadas de vantagem sobre qualquer outra pessoa da idade deles. A maioria passa a vida inteira sem nunca ter aprendido a controlar seu coração dessa forma. No entanto, é o coração da pessoa que ajuda a trazer o progresso que só Deus pode dar.

O desconforto fala

Costumamos realizar um culto de Sexta-feira Santa na nossa cidade. Cerca de cem igrejas participam desse maravilhoso evento todos os anos. Temos de realizar vários cultos para acomodar todas as pessoas interessadas em participar. Faço minha programação em torno desse dia, porque ele é muito importante para mim.

Os companheiros da Bethel Church prestam extrema colaboração a esses tipos de evento e testificam a obra grandiosa que Deus está realizando na nossa cidade. Há muitas igrejas grandes em Redding. Somos muito gratos pelo privilégio de servir à nossa cidade participando desse evento unificador com muitos líderes maravilhosos e seus rebanhos. É uma grande honra para nós.

Lembro-me de dois anos atrás quando senti que, pelo fato de não haver um lugar reservado para as crianças nesses cultos especiais, eu precisava insistir para que as famílias comparecessem. O problema é que, quando há crianças na família, o comparecimento a um local repleto de pessoas é problemático porque elas poderão chorar ou ficar inquietas. Desafiei os pais da nossa igreja para que treinassem os filhos intencionalmente, escolhendo tomar parte nas atividades relacionadas ao Reino de Deus como essa, que às vezes pode ser extremamente incômoda. Dessa maneira, os filhos poderão observar e descobrir que estamos dispostos a pagar o preço dessa decisão.

Nunca subestime a capacidade dos seus filhos de reconhecerem o que você realmente valoriza. À medida que crescerem, converse com eles sobre o propósito de um culto e de outras atividades. Eles aprenderão a importância do sacrifício e propósito ao ver seu exemplo. Se eu valorizo a comodidade, o conforto e uma vida sem dor, estou ensinando os meus filhos a seguirem o caminho fácil na vida. No decorrer dos anos, às vezes o simples ato de desconforto fala mais a uma criança que centenas de sermões sobre a importância do sacrifício.

Beni e eu seguimos esse caminho durante a fase de crescimento dos nossos filhos. E continuamos a segui-lo. Conforme disse

Davi, não oferecerei algo a Deus que não me custe nada (v. 2Samuel 24.24). Israel tinha essas palavras enraizadas em sua cultura. Em Neemias 8, famílias inteiras permaneceram em pé durante horas, ouvindo a leitura da Palavra de Deus. Em 2Crônicas 20.13, famílias inteiras estiveram presentes para ouvir uma palavra profética transmitida à nação durante um período de grande crise: "Todos os homens de Judá, com suas mulheres e seus filhos, até os de colo, estavam ali em pé, diante do Senhor". Até os bebês estiveram presentes, apesar de não entenderem o que estava sendo dito. É de suma importância que os nossos filhos saibam o que é importante para nós, não porque seja fácil, mas porque é certo.

Mais que um conjunto de habilidades

Eu amo a eficiência e amo ver as coisas funcionarem suavemente na vida. Evito toda dor desnecessária e considero essa atitude normal e boa. Mas a dor não me apavora mais — não me apavora se eu souber que ela foi causada por eu ter feito a vontade de Deus.

Da mesma maneira que as crianças necessitam de sete comentários positivos para compensar um comentário negativo, os nossos filhos precisam ser expostos a coisas que são certas em contraste com a dor e as necessidades deste mundo. Se forem expostos apenas a necessidades e tragédias, eles terão pouca esperança de mudar a situação. Mas, se o coração deles estiver fundamentado no modo de vida planejado por Deus, eles terão menos probabilidade de sentir medo diante de problemas insuperáveis. A promessa, o propósito e a recompensa ajudam a firmar o coração daqueles que estão inclinados a evitar tais oportunidades.

Estamos criando filhos não apenas para trazer vida e solucionar problemas; estamos criando uma geração para ser a solução dos problemas. Estamos incutindo neles mais que um conjunto de habilidades. O sistema de valores de Deus, implantados no fundo do nosso coração, inclui acesso a seus recursos ilimitados. Tais recursos nos capacitam a ser aquilo que é necessário. Alguém disse certa vez: "Não tente ser o melhor do mundo. Tente ser o melhor *para* o mundo".

Há uma promessa que rege cada parte da nossa vida: "Sabemos que Deus age em todas as coisas para o bem daqueles que o amam, dos que foram chamados de acordo com o seu propósito" (Romanos 8.28). Essa promessa maravilhosa não seria necessária se tudo funcionasse como pensamos que deveria. Ela existe porque enfrentamos mistério, desafios, dor e necessidade. E, por causa dessas coisas, o Senhor nos fez uma promessa que precisa ser o nosso refúgio. Kris Vallotton explica assim: "Todas as coisas cooperam para o bem no final das contas. Se não for para o bem, não é o fim".

Deus tem a palavra final. Permaneça em silêncio para ouvi-lo falar.

15

EXPOSIÇÃO À COMUNIDADE

GUARDE NA MENTE O CONCEITO que mencionei no começo do capítulo 14 a respeito da exposição à radiação, com todos os efeitos negativos que provoca. No entanto, imagine mais uma vez uma forma semelhante de expor os nossos filhos a algo muito positivo, com efeito positivo. Esse conceito será o nosso modelo mais uma vez. É responsabilidade dos pais escolherem a que os filhos devem ser expostos, objetivando um efeito positivo.

Não podemos protegê-los sempre de algumas ideias e práticas do sistema do mundo e distantes de Cristo. Podemos, no entanto, tomar a deliberação de expô-los às realidades do mundo de Deus que causará um impacto eterno gravado no coração deles. Devemos ser sábios para reconhecer a lista de coisas às quais os nossos filhos serão expostos e que terão influência duradoura na vida deles. Como vimos no capítulo anterior, expô-los à necessidade das pessoas ao redor do mundo é uma dessas coisas. Há algo sobre o que também quero falar agora: a exposição à comunidade.

A cultura de Deus

Nós, da igreja ocidental, temos a tendência de ressaltar o relacionamento individual com Deus em detrimento do relacionamento comunitário. Acredito, sim, que existe sabedoria nisso, porque Deus não possui netos. Precisamos nascer de novo. E isso não acontece a grupos de pessoas. É necessária uma rendição pessoal.

Por outro lado, grande parte do que precisamos aprender está ligada ao nosso entendimento e à prática de ser "membro [...] ligado a todos os outros" (Romanos 12.5). Não é ou/ou. É tanto/quanto. Esse conceito é vital para nós, os adultos, aprendermos e transmitir aos nossos filhos. Essa necessidade é primordial nestes tempos em que os jogos de computador e as redes sociais estão roubando as energias emocionais de que precisamos para experimentar a riqueza envolvida na comunidade bíblica. Em termos práticos, precisamos de pessoas. E nossa habilidade de trabalhar em comunidade nunca pode estar adiante da comunidade que temos em casa. O sucesso em casa nos dá a autoridade básica para ir a qualquer outro lugar. Se falharmos em casa e tivermos sucesso em tocar nações, fracassamos. Precisamos uns dos outros, e isso começa em casa.

Na oração que ensinou aos discípulos, Jesus começou com "Pai nosso". Se havia alguém com autoridade para dizer "Pai meu", esse alguém era Jesus. No entanto, o propósito de Jesus foi o de ressaltar algo extremamente importante — nossa inclusão na família de Deus. Essas palavras se encaixam bem na lição de

Jesus sobre amar a Deus e as pessoas. Precisamos amar o próximo como a nós mesmos. O *amor a si mesmo* bíblico nos capacita a amar os outros também.

Pequenos grupos

Reunimos grupos em casa durante todos os anos de crescimento dos nossos filhos, nos quais os cristãos se reuniam todas as semanas para orar, estudar e estar juntos. Fazer parte de um grupo em casa foi uma parte maravilhosa do nosso crescimento como família. Foi uma ferramenta que Deus usou poderosamente para moldar o desenvolvimento dos meus filhos a fim de contribuírem de modo saudável para a sociedade.

Naquelas reuniões, quase sempre fazíamos uma refeição com amigos de várias idades: casais jovens com filhos pequenos, adultos solteiros e avós. O ponto principal é que reuníamos intencionalmente pessoas de idades e formações diferentes, capazes de ampliar a nossa habilidade de valorizar e festejar pessoas diferentes de nós. Aquele era um tempo realmente belo da semana.

Uma das coisas que eu amava fazer no pequeno grupo era escolher uma pessoa para ser encorajada por todos. Eu perguntava ao resto do grupo o que eles achavam que Deus estava dizendo àquela pessoa e que marcas da influência de Deus eles viam na vida dela. Às vezes, perguntava ao grupo o que eles amavam nela. Essa era uma parte gratificante das nossas reuniões, porque aprendemos desde o início a não mencionar nenhum erro ou defeito da pessoa. A cultura do respeito celebra quem a pessoa é, sem se deter em quem ela não é. Durante aqueles tempos, as pessoas eram incentivadas a descobrir o impacto que sua vida causava na vida das outras a seu redor.

Grande parte do que fizemos baseava-se em um conceito contido em Efésios 2.10: "Porque somos criação de Deus realizada em Cristo Jesus para fazermos boas obras, as quais Deus preparou antes para nós as praticarmos". A palavra "criação" deriva de outra da qual obtivemos a palavra "poema". Todas as vezes que transmitimos coragem a alguém, estamos simplesmente lendo a poesia de Deus que ele está escrevendo na página da vida dessa pessoa. Trata-se de uma obra-prima em andamento, e temos o privilégio de lê-la enquanto está sendo escrita. É muito importante ensinar esse valor às crianças. Não demorará muito para elas aprenderem a importância desse modo de vida, desde que vejam o rosto radiante da pessoa que está sendo encorajada. É realmente lindo.

A maioria das pessoas vive consciente das coisas que gostariam que fossem diferentes na vida delas, dando mais atenção às próprias fraquezas e idiossincrasias. Muitas desconhecem qual é sua importância, talento e valor para as outras. Eu costumo incluir os nossos filhos em uma atividade em grupo que chamamos de "extrair ouro das pessoas". As pessoas são como minas de ouro, onde há sempre mais sujeiras e detritos que ouro. Há, porém, um rico filão de ouro em cada vida. A beleza é que temos o privilégio de apontar para o ouro. As crianças sempre tiveram um ótimo desempenho e discernimento quando extraíam ouro de adultos, bem como de outras crianças do grupo. Penso que aqueles exercícios que usamos em casa e nos nossos relacionamentos ajudaram os nossos filhos a aprender a elogiar uns aos outros em vez de competir. As crianças que se sentem seguras quanto à própria identidade são mais propensas a elogiar os outros.

A comunidade começa em casa

O modo segundo o qual valorizamos os amigos ajuda os nossos filhos a entender o valor da comunidade. Eles precisam ser expostos à força e à beleza de relacionamentos significativos, caso contrário darão mais valor aos amigos *on-line* e aos jogos de computador como se fossem a vida real. Esse é um assunto muito importante para abordarmos na rotina do dia a dia. Os amigos verdadeiros nos tornam pessoas melhores.

Há um lindo provérbio africano que diz: "Se você quiser ir depressa, vá sozinho. Mas, se quiser ir longe, vá com alguém".

Há um tempo para solitude, e, se protegermos essa necessidade, ajudaremos os nossos filhos a saber que a vida não é uma escolha entre um e outro — solitude e comunidade. Contudo, conseguimos muito mais quando aprendemos a desenvolver relacionamentos significativos com pessoas que nos tornam mais fortes e extraem o melhor da nossa vida. Podemos ir mais longe em nosso impacto no mundo se aprendermos a viver juntos em vez de tentar fazer tudo sozinhos.

Da mesma forma, quando os nossos filhos sabem o significado de viver em meio a relacionamentos saudáveis, eles podem detectar os relacionamentos degradantes ou exauríveis — uma das formas de protegê-los quando somos pais e mães intencionais. Todos nós precisamos estar com pessoas que nos exaltem, não apenas que nos tolerem. Parte do que precisamos ver a respeito de Deus e de nós só será descoberta em uma comunidade.

A honra da comunidade

Meu tio Ed Gunderson morreu repentinamente quando eu tinha mais ou menos 10 anos de idade. Ele era casado com a irmã da minha mãe e tinha o porte de um príncipe. Ambos eram pastores em Minnesota. Viajamos de carro da Califórnia, onde morávamos, até lá para assistir ao funeral e ajudar a família. Ele e tia Gladys tinham três filhas, e haviam acabado de adotar um garotinho. Também havia uma sobrinha morando com eles.

Eu nunca tinha visto pessoas sofrendo daquela maneira. Assim que nos aproximamos da casa, ouvimos o choro alto vindo de dentro. Foi cruel. Costumávamos proteger os filhos do desconforto e da dor, o que em parte era uma atitude sábia, porque há um limite ao que devemos expor os filhos, principalmente quando são pequenos. Mas é importante também que eles vejam a vida e saibam como atravessar períodos difíceis. Esse é o momento em que as famílias precisam falar em meio à dor e orar juntos. Devemos permitir perguntas, sem necessidade de ter uma resposta pronta. Como pais, às vezes temos respostas. Quase sempre não temos. Deixe que as perguntas sem resposta o levem à presença de Deus como família. Examine as Escrituras e ore. O ganho com esses problemas é inesquecível. Contorne-os bem, levando sempre as crianças a Jesus, para que elas possam ouvi-lo.

Após o funeral, os meus pais convidaram a família do meu tio para morar conosco na Califórnia. Eles aceitaram. Os meus avós já viviam na nossa casa, que se transformou em uma pequena comunidade, com 11 pessoas morando em uma casa com pouco mais de 100m^2.

As crianças se adaptam facilmente a uma comunidade em expansão. Se as colocarmos em um parquinho com outras crianças, elas farão amigos com rapidez e facilidade. Em nossa pequena casa, todos achávamos divertido dormir no chão ou na garagem durante os meses de verão. A presença de 11 pessoas se tornou uma aventura. Tenho certeza de que os meus pais se sentiram um pouco tensos com a situação, mas, até hoje, nunca ouvi nenhuma reclamação deles, por menor que fosse. A comunidade é uma honra. Fomos abençoados por ter a nossa família conosco naquela fase, e nos sentimos honrados por poder ajudá-los.

A vida em conjunto

Comunidade não significa necessariamente viver juntos no mesmo ambiente, apesar de termos vivido muitas dessas experiências na nossa casa ao longo dos anos. A comunidade verdadeira existe por meio da comunhão. É um assunto do coração. Nesse caso, não estou falando da eucaristia, da qual participamos do corpo e do sangue de Cristo. A comunhão nesse contexto é confraternização entre pessoas.

Gosto de definir confraternização como *troca de vida, de uma pessoa para outra.* Esse é o processo do crescimento e da maturidade bíblicos verdadeiros. Se não tenho relacionamentos pessoais e profundos com as pessoas, posso viver com a ilusão de que tenho todos os frutos do Espírito (amor, alegria, paz, paciência, amabilidade, bondade, fidelidade, mansidão e domínio próprio). Mas, quando me conecto de forma significativa com as pessoas, fico frente a frente com a minha necessidade de crescimento. E não é apenas o fato de eu necessitar de maturidade que se torna aparente nos relacionamentos. Eles são também o processo que Deus usa para me afiar. O conceito de "o ferro afia o ferro" me vem à mente (Provérbios 27.17).

Deus expõe a minha necessidade por maturidade e a usa para satisfazer a minha necessidade por maturidade. Ela se encontra na amizade na qual aprendemos a viver juntos.

As crianças que aprendem o segredo dos relacionamentos e da comunidade ficam quilômetros de distância adiante de seus companheiros em todos os aspectos da vida, porque a *inteligência emocional* (IE) se desenvolve de forma intensa na comunidade. A *inteligência emocional* é considerada o segredo para o sucesso pessoal e profissional na vida. Os psicólogos atribuem à IE a formação de famílias saudáveis, sucesso na carreira acadêmica, autoestima saudável, vida mental e habilidades de liderança. Nunca culpo as pessoas pelo tamanho do cérebro delas. Mas o tamanho do coração de uma pessoa é inteiramente de responsabilidade dela. Isso se forma melhor na vida em comunidade. E devemos expor essa experiência contínua de comunidade aos nossos filhos tendo em vista seu desenvolvimento. O maravilhoso benefício colateral de ter vivido em comunidade é o impacto que as pessoas com IE resultante dessa experiência exercem no mundo ao redor delas.

Existem partes da vida que são mais bem apreciadas na comunidade. E às vezes essa comunidade se forma com famílias que vivem juntas. Kris e Kathy Vallotton fazem parte da nossa vida como amigos íntimos há cerca de quarenta anos. Certa ocasião, eles estavam construindo uma casa que não ficou pronta quando precisavam, por isso nós os convidamos a morar conosco. Foi uma honra para nós ter a companhia desses amigos durante algum tempo. Tenho certeza de que deve ter havido problemas com duas famílias morando juntas por muito tempo, mas, sinceramente, não me lembro de nenhum.

Lembro-me de quando Kris e eu estávamos tentando ajuntar uns trocados para comprar sorvetes para todos. Viver juntos é uma honra incrível.

O sacrifício

Só conseguimos entender a importância dessa parte da vida quando há um preço a ser pago. Sua riqueza está no sacrifício. Esta é em parte a lição que o autor de Hebreus ensina no capítulo 13:

> Por meio de Jesus, portanto, ofereçamos continuamente a Deus um *sacrifício de louvor*, que é fruto de lábios que confessam o seu nome. Não se esqueçam de *fazer o bem* e de *repartir com os outros* o que vocês têm, pois de tais *sacrifícios* Deus se agrada (v. 15,16)

Observe, por favor, os três sacrifícios do Novo Testamento que devemos fazer:

> *Louvor* — o fruto dos lábios dando graças pelo que Deus tem feito e honrando-o por quem ele é.
> *Fazer o bem* — as boas obras que devemos realizar para favorecer e servir a outros.
> *Repartir* — no idioma original da Bíblia, essa é a palavra para "comunhão", a troca de vida, de uma pessoa para outra.

A comunhão uns com os outros é um dos três sacrifícios mencionados, o que implica que essa parte da vida precisa ser sacrificial. Em outras palavras, temos de pagar um preço pelos relacionamentos significativos. Se continuarem a ser apenas uma parte conveniente da nossa vida, jamais extrairemos as riquezas de

Cristo escondidas no privilégio dos relacionamentos próximos. Jesus pode e precisa ser descoberto na esfera da comunidade.

O auxílio da comunidade

Há um cuidado prático no contexto da comunidade. Lembro das muitas vezes em que o estoque de comida estava baixo em casa. A minha secretária, Barbara Calhoun, sabia, mas nunca disse nada. Ouvíamos uma batida na porta, e ela trazia sacolas e sacolas de guloseimas deliciosas para nós. Da mesma forma que muitas secretárias de igreja naquela época, Barbara não ganhava muito dinheiro. Penso que ela gastava grande parte dele conosco. Somos agradecidos porque agora temos condições de ajudar os necessitados. É isso o que a família faz. A comunhão dá praticidade à família. É na comunhão que permanecemos uns *com* os outros e servimos uns *aos* outros. Os filhos são favorecidos com essa lição de vida, provavelmente mais do que podemos imaginar.

Lembro-me de quando os meus filhos iam à sala de Barbara para pedir doces. Ela parecia ter um esconderijo de doces só para eles. Quando Beni e eu soubemos o que eles estavam fazendo, determinamos o fim daqueles pedidos. Dissemos às crianças que não era educado pedir doces, e elas pararam. Descobrimos mais tarde que elas haviam mudado de tática. Iam à sala de Barbara e ficavam em pé diante de sua mesa, em completo silêncio. Não diziam nada nem pediam nada. Só olhavam para ela, sorrindo.

Um dia, Barbara olhou para eles, aguardando o pedido, mas não houve. Por ser perceptiva, ela perguntou: "Ah, vocês foram proibidos de pedir doces?".

Os garotos assentiram com a cabeça.

Ela então perguntou: "Querem que lhes dê doces?".

Eles disseram sim, claro. Obedeceram-nos perfeitamente e conseguiram os doces. Ah! Meus filhos são inteligentes!

A família dá. A família reparte. A família aprende em conjunto.

Dever de prestar contas

Outra excelente ferramenta que Deus nos dá no contexto da comunidade é o dever de prestar contas. Temos valorizado muito essa prática nos últimos anos como meio principal de nos afastarmos do pecado. Sou grato pela ênfase nesse assunto, porque tem inspirado muitas pessoas a prestar contas de sua vida particular e pessoal. Por exemplo, se a pornografia for problema para um homem, é bom que ele se responsabilize por esse ato. A prestação de contas tem ajudado muitas pessoas a abandonarem um hábito pecaminoso. Vivemos melhor quando sabemos que prestaremos contas das nossas escolhas a alguém. E mais: creio que a prestação de contas nos prepara para uma das maiores realidades da vida — teremos de prestar contas da nossa vida a Deus.

Embora eu goste muito da ideia de que a prestação de contas nos afasta do pecado, creio que seu propósito seja muito maior. *Prestar contas* é dar uma explicação sobre a nossa *habilidade*. Em outras palavras, a vida em conjunto não significa apenas manter um ao outro fora dos problemas. A comunidade precisa saber como estamos usando as habilidades e os dons que Deus nos deu. Estamos agindo de acordo com o plano dele para nós?

Você tem o sonho de ser escritor? Já escolheu alguém a quem prestará contas desse sonho? Está fazendo um curso sobre redação, participando de seminários e lendo obras de autores famosos?

Deseja abrir um negócio próprio? Já escolheu alguém a quem prestará contas para seguir nessa direção? Tem pedido conselhos a empresários, lê livros sobre o assunto ou frequenta um curso na faculdade comunitária da sua cidade?

E quanto a seus filhos? Quais são os sonhos deles? Você os está encorajando? Está ajudando-os a dar os passos práticos de que eles necessitam para realizar esses sonhos?

São partes importantes da vida que precisamos transmitir aos nossos filhos e dar-lhes o exemplo. A pessoa a quem você prestará contas não deverá ser como um patrão autoritário que exige resultados de seus subordinados. Cobrar resultados é ajudar alguém a chegar a seu destino. Não existe um lugar mais prático para aprender essa lição do que o lar. Isso precisa acontecer antes de tudo na nossa família, onde resguardamos os sonhos uns dos outros e contribuímos para o destino de cada um.

As famílias que vivem dessa maneira em casa estão aptas a levar a influência do Reino ao resto de sua comunidade, onde a maioria das pessoas nunca aprendeu essa parte da vida. Sou feliz porque a ferramenta da prestação de contas ajuda as pessoas a assumirem responsabilidade para realizar seus sonhos. Mas o que realmente me empolga é pensar que é na comunidade que as pessoas aprendem de fato a ter a vida que Jesus planejou para elas. Com total liberdade.

A expressão "prestar contas" é, de algumas formas, uma das melhores para descrever a família. A família deve ser uma unidade de pessoas que trabalham juntas e com alegria, para que cada uma realize seu propósito na vida. É um grupo de indivíduos que assumem a responsabilidade de prestar contas entre si para ter sonhos grandes e servir uns aos outros a fim de colaborar para que eles se realizem.

Sozinho na multidão

Ter amigos não é uma pílula mágica que resolve tudo. As pessoas fazem barganhas horríveis o tempo todo porque querem ter amigos. O autor de Provérbios 5.14 faz uma afirmação grave a esse respeito:

> Cheguei à beira da ruína completa,
> à vista de toda a comunidade.

Observe a condição daquele homem — *ruína completa.* Observe também o local onde ele se encontrava — *à vista de toda a comunidade*. Você pode estar sozinho em uma multidão. O comparecimento a reuniões sérias, até mesmo a pequenos grupos, não garante que você apreciará o fruto da comunhão em sua vida. Os dois versículos anteriores, 12 e 13, declaram por que alguém pode estar no meio da solução, mas não tirar proveito dela:

> Você dirá: "Como odiei a disciplina!
> Como o meu coração
> rejeitou a repreensão!
> Não ouvi os meus mestres
> nem escutei os que me ensinavam".

Essa pessoa à beira da ruína completa odiava correção e instrução. Se há duas características que nos capacitam a ter sucesso como pais, elas são nossa habilidade para admitir que não sabemos tudo, características essas vistas na expressão humilde de querer aprender mais. E elas só funcionam se eu estiver disposto a receber a correção de que necessito para acertar.

A comunidade nos dá o contexto para o crescimento. O grande desejo de aprender e a disposição para ser corrigido resolvem a questão. Essa é a natureza da família, quer da sua, quer da minha, quer da família de Deus. É assim que amadurecemos e causamos impacto. E é assim que os nossos filhos amadurecem no caminho que os leva a destruir os gigantes.

16

EXPOSIÇÃO AO SOBRENATURAL

Os nossos filhos são expostos a muitas coisas horríveis quando chegam à fase adulta. Desde a imprensa pervertida e um sistema escolar sem limites morais até a pressão dos amigos que enfrentam em quase todos os ambientes sociais, a exposição está presente. Como gostaria de conhecer uma fórmula para prevenir esse mal! Mas cão conheço. No entanto, o estabelecimento de valores e a decisão intencional como pais têm grandes probabilidades de proporcionar proteção onde for possível, e entendimento, sabedoria e discernimento onde não for possível impedir os nossos filhos de serem expostos a coisas negativas. Ore por sabedoria. E ore sempre.

Tendo dito isso, sei que é possível mais uma vez escolher as coisas positivas às quais a família deve ser exposta. Acabamos de falar sobre como expor os filhos às necessidades do mundo e à comunidade, dois pontos vitais. O ponto principal, no entanto, é que quero que a minha família seja exposta a Deus. Ele é o Deus de poder, pureza e amor. E quero que os meus filhos encontrem esse Pai maravilhoso que conhece todos nós tão bem e é completamente comprometido conosco como seus filhos. Quero que eles sejam expostos à Bíblia como a Palavra de Deus. E mais: quero que sejam expostos ao Deus da Bíblia, que é o mesmo ontem, hoje e para sempre. Ele precisa ser relevante, e agora. Ele é o Grande Eu Sou.

Creio que temos o dever de querer que os nossos filhos tenham um encontro com Deus. Esforcei-me especificamente para que os meus filhos vissem e experimentassem um mover autêntico de Deus ao longo dos anos. Se Deus estava fazendo isso, eu o queria para mim e minha família. Viajei quando necessário e passei tempo com heróis da fé sempre que possível. Assumi a responsabilidade fundamental de garantir que a minha casa estivesse exposta a *mais de Deus*.

Há diferentes oportunidades diante de todos nós. Algumas são grandes possibilidades de mudança significativa. Outras são mais sutis. Se aceitarmos as que Deus nos deu, ele nos dará mais, e as oportunidades terão importância cada vez maior. Você atrai aquilo de que mais tem fome e sede.

A marca distintiva

Há um versículo muito interessante, Josué 24.31, cujas palavras são quase todas repetidas em Juízes 2.7. Em Josué, elas dizem: "Israel serviu ao Senhor durante toda a vida de Josué e dos líderes que lhe sobreviveram e que sabiam de tudo o que o Senhor fizera em favor de Israel". Josué foi o pai espiritual de uma nação. Quero usar seu exemplo aqui para ilustrar a necessidade desse tipo de exposição aos feitos sobrenaturais de Deus.

O ponto que essa passagem repetida ressalta é este: aquilo que distinguia Josué e sua equipe de líderes foi a exposição dele às obras de Deus. Quando os novos líderes que não haviam sido expostos às intervenções sobrenaturais de Deus chegaram a ocupar posição de liderança, eles tiveram menos possibilidades de inspirar uma nação a servir a Deus de todo o coração. Por quê?

Por que a geração seguinte de líderes não teria tanto sucesso para impactar uma nação? Fora a exposição de Josué às atividades sobrenaturais de Deus que influiu em sua capacidade e habilidade de liderança. Algo foi mudado no interior desse grande líder por ele ter sido exposto às intervenções sobrenaturais de Deus. O efeito dessa descoberta é imenso. A aplicação desse conceito à criação dos filhos é inspiradora!

Todos nós deveríamos ter o sonho de inspirar as pessoas a amar a Deus de todo o coração. Josué inspirou uma nação inteira. Eles tiveram sucesso porque o impacto de Josué foi genuíno e significativo. Vivemos para esse impacto.

Deus inspirou os autores das Escrituras, onde está registrado que Israel seguiu a Deus enquanto Josué e seus líderes estavam vivos. E a única coisa mencionada que os distingue de qualquer outro líder bem-intencionado da história de Israel foi o fato de que eles foram expostos às obras sobrenaturais de Deus.

Não posso imaginar como Josué teria recebido habilidades maiores de liderança simplesmente por ter visto o maná no chão todos os dias. Nem como a água que brotou da rocha lhe teria dado mais discernimento quanto à sua responsabilidade de liderar uma nação. Não acho que essa passagem bíblica gire em torno de suas habilidades, mas pode-se dizer que a exposição ao sobrenatural teve um efeito sobre ele de uma forma que jamais poderá ser mostrada em um gráfico sobre habilidades de liderança. Josué tinha uma conscientização intensa de Deus com ele e da possibilidade invisível em qualquer situação. Ela mudou sua perspectiva sobre a realidade e também seu conhecimento do âmbito invisível, onde ele não tinha nenhum controle e possuía pouco entendimento. Ainda assim, ele confiou no Deus de todas as coisas. Foi essa realidade que transformou Josué em um líder que o povo seguia com alegria. Ele foi capaz de extrair recursos de uma fonte diferente, simplesmente por causa do que havia visto.

Os líderes designados por Deus são mais eficientes quando vivem conscientes dos seguintes fatos:

1. Nada é impossível.
2. Deus é muito pessoal e conhece os nossos pensamentos e intenções.
3. Não somos Deus.
4. Deus não está sob nosso controle.
5. Todos nós prestaremos contas a Deus da nossa vida.

O conhecimento dessas realidades básicas contribui para o modo de vida sobrenatural que Josué exemplificou para nós.

O efeito de atos milagrosos

Josué estava presente quando a água brotou da rocha. Estava presente e viu quando o mar Vermelho e o rio Jordão abriram passagem para que Israel pudesse sair da escravidão rumo à liberdade. Viu o fogo da presença de Deus à noite e a nuvem da presença de Deus durante o dia. A exposição de Josué aos aspectos sobrenaturais da natureza de Deus foi histórica.

Acima de tudo, Josué sentia um desejo ardente de estar com Deus. Sabemos disso porque ele permanecia na Tenda do Encontro depois que Moisés saía de lá para falar ao povo: "O SENHOR falava com Moisés face a face, como quem fala com seu amigo. Depois Moisés voltava ao acampamento; mas Josué, filho de Num, que lhe servia como auxiliar, não se afastava da tenda" (Êxodo 33.11). Não há nenhuma dúvida de que Josué encontrou o Deus da glória de muitas maneiras que não podem ser expressas. Ele amava a presença de Deus.

Josué era o líder de uma nação, e você é o líder de sua casa. E o princípio do *efeito de ser exposto ao sobrenatural* continua a ser real para nós. Que bem mais precioso você poderia dar a seu filho do que ele saber que você foi exposto às intervenções naturais de Deus?

Se eu pudesse dar um passo adiante, embora eu considere importante ver as obras de Deus com os meus olhos e influenciar os meus filhos em razão disso, seria exponencialmente mais poderoso se eles também as vissem. Essa é uma prioridade que exige tempo, dinheiro e grande risco por parte dos pais. É um dever nosso, porque ela deixará uma marca permanente de Deus nos nossos filhos.

Os nossos amigos profetas

Beni e eu esforçamo-nos muito para eliminar a ideia fantasmagórica do sobrenatural, mas eu não queria que o sobrenatural fosse tão comum a ponto de ser desconsiderado. Você entende que há certa tensão estranha — não deixar o sobrenatural tão à parte e distante a ponto de ninguém poder aproximar-se dele, mas também não querer transformá-lo em algo comum a ponto de ser desrespeitado.

A questão profética era uma parte muito importante da nossa vida. Várias vezes por ano, convidávamos pessoas para ministrar na nossa igreja em Weaverville. Elas ministravam com poder, exercendo grande influência na família da igreja. E algumas eram profetas. Era uma alegria hospedá-las na nossa casa para almoçar ou jantar conosco e passar algumas horas de confraternização.

Quando há profetas genuínos na casa, ministros que amam a Deus e seu povo, eles atuam com muito poder e sabedoria. Aqueles momentos especiais com eles nos fortaleceram por muitos anos. Deus usou-os para moldar quem éramos por meio daqueles maravilhosos servos do Senhor.

Houve dois homens em particular que mais nos ajudaram: Dick Joyce e Dick Mills. Curiosamente, Dick Mills foi conselheiro de Dick Joyce por uma temporada em seus primeiros anos no movimento carismático. Aqueles homens tinham o dom incomum de dizer a palavra exata do Senhor para o momento com quem quer que conversassem. Era lindo observá-los e aprender com eles.

Deus usou-os para trazer palavras poderosas de encorajamento e discernimento à nossa igreja durante anos. Em uma cidade pequena, era curioso ver pessoas recebendo palavras pessoais de Deus, porque conhecíamos quase todas. Em uma das reuniões, Dick Mills pediu-me que escolhesse mais ou menos uma dúzia de pessoas para ele ministrar a elas. Escolhi as que mais se destacavam para mim, inclusive um casal que quase perdera o bebê por morte súbita. Eles foram até o berço e o bebê tinha cor azulada e não respirava. Felizmente, uma equipe médica conseguiu reanimá-lo, mas os pais estavam apavorados, temendo que o problema acontecesse de novo. Quando os apresentei a Dick, não lhe disse nada a respeito do caso. Aliás, nunca lhe contei nada a respeito das pessoas a quem ele ministraria, nem a respeito das circunstâncias que atravessavam.

Quando segurou as mãos do casal, Dick deu um grande sorriso e declarou: "A casa de vocês é a mais segura do país inteiro!". Em seguida, entregou ao casal muitas promessas contidas na Bíblia sobre a segurança que Deus lhes prometeu.

A esperança foi tangível naquele dia. Todos testemunharam o toque pessoal de Deus sobre uma família que amávamos e prezávamos. As referências bíblicas citadas durante aquele ministério eram sempre escritas e entregues às pessoas, para alimentar o coração delas com as palavras de Deus. Foi muito bonito. Muito pessoal. O casal nunca teve outro problema semelhante com o filho. Sua casa estava realmente segura.

Dick Mills tinha mais de 7 mil promessas da Bíblia memorizadas em várias traduções. De seu imenso reservatório, Deus lhe mostrava as que mais se encaixavam em determinada situação. Deus foi muito misericordioso por meio daquele ministério e restaurou a confiança nas profecias a uma parte do Corpo de Cristo que as rejeitava em razão de abuso no passado. Muitos cristãos que tinham abandonado a profecia foram influenciados pelas palavras de Dick a eles. É difícil discutir com quem usa a Bíblia.

Dick Mills e Dick Joyce ministraram à minha família e a mim em várias ocasiões. Eles viram o tesouro plantado fundo em um dos meus filhos e convocaram-no para entrar em ação. Foram sempre muito generosos ao dedicar seu tempo e afeição. Sou eternamente grato a eles por sua valiosa contribuição à nossa família.

Uma programação imperfeita

Aquilo que você valoriza é visto em como você administra o tempo. Se digo que a minha esposa é a pessoa mais importante para mim, mas não dedico tempo a ela, você tem razão em questionar minha afirmação. Programações e cartões de crédito revelam muito a respeito das nossas prioridades.

Sempre que vivemos em um local onde a inconveniência é normal, vivemos em um lugar de sacrifício. E o fogo (Deus) sempre cai sobre o sacrifício.

A programação daqueles eventos especiais no meio da semana com os nossos amigos profetas raramente foi amistosa na família. Significa que sempre havia um transtorno para alimentar a família antes da reunião e depois levar as crianças para a cama em um horário razoável. Mas o comparecimento a um evento desse tipo era inegociável para a minha família e para mim. Parecia também que Deus poderia manifestar-se e transformar a vida de todos na sala, e eu não queria que ninguém da minha família perdesse aquilo. Portanto, todos nós comparecíamos. Sempre. Sem exceção. Mesmo enquanto escrevo estas linhas, posso ouvir as objeções premeditadas. Eu as conhecia na época, como conheço agora. Não me importava com elas. Estávamos todos presentes.

Você pode dizer, e com razão, que eu tinha de comparecer àqueles eventos por ser pastor. Pode ser verdade, mas somente em parte. Esse é o meu modo de viver mesmo quando o meu trabalho não exige que eu esteja presente. Participo de incontáveis eventos todos os anos que não exigem a minha presença. Mas estou lá. Eu necessito de mais. Muito mais. E, embora saiba que Deus conhece o meu endereço, que ele pode trazer-me o que necessito, eu também conheço o dele. Ele está entre os santos: "Nele vocês também estão sendo edificados *juntos*, para se tornarem *morada de Deus* por seu Espírito" (Efésios 2.22). Há algumas coisas em Deus que você só descobrirá em reuniões em grupo.

Valorizo muito essas reuniões em grupo, mesmo quando há poucos resultados visíveis. Jesus apareceu a 500 irmãos depois de sua ressurreição (v. 1Coríntios 15.6). Mas havia apenas 120 no aposento alto no dia de Pentecoste, quando o Espírito Santo foi derramado. Teria sido porque os 500 não foram informados de que deveriam se reunir e orar? Teriam eles algo mais a fazer? A reunião de oração de dez dias foi demais para os 380? Realmente não sei. Mas sei que desejo ardentemente que os meus filhos e netos vejam mais do que eu vi, experimentem mais do que experimentei e sejam lançados na vida de uma forma muito mais ampla do que serei capaz de ser ou de alcançar. Para isso, eles precisam ter um encontro divino pessoal, o que raramente acontece nas reuniões ocasionais da média dos lares ou igrejas.

Uma dívida permanente

Devo a meus filhos mais que devoções em família. Devo a eles mais que ser um bom exemplo de pessoa cristã. Devo a eles um encontro como o Deus todo-poderoso, porque é isso que muda as pessoas no final das contas.

Uma das afirmações que faço à nossa família da igreja é: "*A maior parte do que necessita na vida, você receberá. Mas a maior parte do que deseja, você terá de conseguir*". Deus é tão generoso e bondoso que você pode viver em uma situação de receber o tempo todo e provavelmente viverá bem. Minha preocupação é que, em geral, contentamo-nos com o que nos é dado por ser conveniente. No entanto, nascemos para receber mais, e sabemos disso no fundo do nosso coração.

Há algumas coisas que precisamos conseguir lutando, correndo atrás delas e nas trincheiras. Elas não chegam até nós. Preciso clamar e buscar essas coisas pela fé. Essa é a minha atitude, principalmente para os meus filhos e netos. Essa é a tensão entre descansar e lutar, entre receber e aguardar com apreensão e entre viver como filho de Deus e viver como um soldado responsável de Cristo. É tanto/quanto.

É impossível envolver-se em tudo. Essa afirmação é especialmente verdadeira em um lugar como a Bethel Church. Um dos nossos presbíteros disse em tom de brincadeira: "Devemos mudar nosso nome para *Aberta 24 horas*". As programações são absurdamente numerosas para que uma pessoa compareça a todas. O ponto principal não é esse. Faça algo fora do comum, algo que custe tempo e esforço. Ore pedindo orientação para que o seu tempo seja gasto de forma correta e para que os seus filhos tenham um encontro com Jesus. Lembre-se: um só toque muda tudo.

Um mover de Deus só nosso

Assisti a uma conferência na Vineyard em Anaheim, Califórnia, na primavera de 1987, que passou a ser um momento decisivo na minha vida. Eu desejava ardentemente que Deus agisse mais em mim. Embora eu não possa dizer que experimentei algo incomum, as pessoas começaram a ser curadas depois que voltei para casa. Aquilo *nunca* tinha acontecido. O Deus de poder parecia entrar na sala, e começaram a acontecer coisas sobre as quais já lera, mas nunca vira pessoalmente.

Lembro-me de uma reunião na qual ministrei para todos os nossos filhos na igreja. O Espírito Santo começou a tocar aquelas crianças de forma muito poderosa. Nunca me esquecerei daquele momento. Eric, na época com cerca de 12 anos, estava ministrando comigo. Começou a orar por uma criança específica e sentiu o Espírito Santo dizer-lhe que aguardasse um momento para lhe mostrar por quem ele deveria orar. Em seguida, ele orou por outra criança, que foi poderosamente tocada por Deus. Mais tarde naquela noite, o pai da criança ligou para a nossa casa perguntando o que havia acontecido. Pode parecer um pouco estranho, mas a criança não conseguiu falar durante horas e chorava sempre que o nome de Jesus era mencionado. Deus havia colocado sua marca naquela criança, e isso se tornou uma experiência incomum e preciosa.

As crianças nascem para o mover de Deus, e temos de fazer o possível para expô-las a ele. Certa vez, levei Brian à Índia comigo para ministrar, em companhia de Dick Joyce, a uma multidão de milhares de pessoas famintas. Elas amaram Brian e não paravam de tocar em seus cabelos loiros. Exposição, exposição, experiência, experiência. Essa precisa ser a ordem para os nossos filhos. Embora não possamos forçá-los a experimentar nada, podemos deixá-los sedentos e disponíveis.

Um dia, levei a minha família a um congresso em outra cidade onde eu estava palestrando. Eles nadaram na piscina e fizeram compras durante o dia. Mas participaram das reuniões comigo à noite. Lembro-me de um momento específico de oração pelas pessoas ao redor do altar. Foi um momento de grande poder e, no meio de tudo, Eric aproximou-se de mim chorando. Pediu que eu orasse por ele porque não ouvia Deus falar com ele havia três semanas. Orei, mas senti que deveria ter pedido a ele que orasse por mim!

E mais uma vez

Em 1995, tivemos outro derramamento do Espírito Santo, que ocorreu nos meses seguintes à minha primeira visita a Toronto. O que aconteceu lá foi contagiante, e a maioria das famílias da nossa igreja estava sendo impactada para passar por uma grande transformação. Foi lindo demais. Dessa vez o derramamento foi muito mais poderoso que o anterior. Em parte, porque em 1987 eu não sabia como sustentar um mover de Deus. Não percebia que é Deus quem acende o fogo sobre o altar, mas são os sacerdotes que o mantêm aceso. O fogo nunca se apagará se for alimentado. Tornamo-nos o combustível para o fogo. Corações submissos queimam bem.

Aquele derramamento em 1995 afetou por completo a nossa vida. Tudo. Milagres, vidas transformadas, experiências incomuns nas reuniões — tudo passou a ser a norma naquela nova estação. Foi essa estação que Deus usou para moldar muitas coisas na nossa família. Nascemos verdadeiramente para os moveres de Deus.

Alguns anos depois, quando começamos a ter manifestações incomuns do que parecia pó de ouro em uma nuvem e coisas dessa natureza nas nossas celebrações, eu não sabia o que fazer — se caía ao chão, se me escondia ou se adorava. A manifestação surgia inesperadamente. E então comecei a observar as crianças.

Elas corriam com bocas e braços totalmente abertos. Sem nenhuma hesitação, corriam no meio daquilo, como se dissessem: "Deus está aqui, e vou desfrutar a presença dele!". E eu pensava: *Talvez eu deva segui-las.*

O ponto principal é este: as crianças estavam lá. É muito importante escolhermos bem os momentos aos quais os nossos filhos ficarão expostos — não apenas a vídeos de testemunhos, por mais que eu ame vê-los —, mas para ver algo acontecer, ver alguém ser tocado e cheio de alegria, ver alguém chorando e aceitando a Cristo, ver alguém confessando um pecado, ver alguém ser liberto de um tormento. É importante que os filhos vejam Deus em ação, não apenas outras pessoas realizando a obra de Deus.

Os homens sábios continuam viajando

Lembro-me de ter sentido uma graça sobre o nosso filho Eric para evangelismo, por isso levei-o a outra cidade para ouvir Mario Murillo. Mario foi o homem que Deus usou para transformar o meu coração e direcioná-lo a amar Jesus. Sou eternamente grato a ele por isso e muito mais. Mario também recebeu o dom singular de realizar milagres. É usado com frequência para realizar milagres extremos para pessoas necessitadas e em desespero, para a glória de Deus. Ele também veio a Weaverville para ministrar. Que satisfação especial estar com esse amigo, a quem devo tanto! Seu impacto na nossa igreja, e na minha família, é significativo.

É extremamente importante expor a minha família a pessoas que trabalham de forma diferente da minha. E, quando essas pessoas fazem isso com poder, precisamos estar presentes para apoiar, receber e aprender. É vital que os meus descendentes vejam as impossibilidades da vida se curvarem ao nome de Jesus por meio dos lábios de um cristão. Elas precisam, por sua vez, aprender a falar da mesma forma e ver os mesmos resultados.

É muito mais fácil quando aquilo pelo qual você tanto anseia ocorre na sua igreja ou, pelo menos, na sua cidade. Evidentemente, esse não é o caso para a maioria das pessoas. Nessa situação, ore pelo assunto em casa, em sua igreja e em sua cidade. Clame a Deus. Ele não o decepcionará! Mas, enquanto não houver uma reviravolta em você, viaje quando possível. Eu costumo aconselhar as pessoas a acompanharem um dos meus melhores amigos, Randy Clark, do Global Awakening Ministries. Ele leva pessoas ao mundo inteiro em viagens ministeriais. A maioria vê mais milagres em uma de suas viagens do que muitos realizadores de milagres veem em muitos anos de serviço. Literalmente. Contudo, a parte mais divertida é que essa graça para cura e milagres é contagiante e nos acompanha até em casa. Se for possível, leve a sua família a uma dessas viagens. Não posso imaginar uma forma mais significativa para impactar o destino de uma família que essa.

Há famílias que viajam à Bethel de férias. Muitas crianças escolheram viajar conosco em vez de ir à Disneylândia ou a outros destinos empolgantes. Na semana passada, conheci outra jovem que participou durante alguns dias. Foi seu presente de aniversário. Casais em lua de mel nos visitam, apreciando tudo o que podem. As pessoas chegam com tantas esperanças que fazem o que for necessário para ter um encontro mais profundo com Deus. E é isso que devemos a nós mesmos e à nossa família. A nossa exposição às intervenções sobrenaturais de Deus nos muda para sempre. Quando isso é transmitido a uma geração de futuros vencedores de gigantes, o impacto é profundo e dura a vida inteira.

17

GUIA PRÁTICO PARA VENCER A GUERRA

O LAR É O LUGAR de aceitação, alegria, comemoração e trabalho. É o lugar onde os nossos filhos aprendem responsabilidade, mas a recompensa também se torna mais e mais aparente. Os pais trazem consigo a ordem de transformar seu lar em refúgio de paz.

Uma realidade que discutimos antes é que nascemos em uma guerra. Isso é mais verdadeiro do que gostaríamos de admitir. Embora o meu objetivo nunca tenha sido o de viver excessivamente consciente do Diabo, é também meu objetivo não ser enganado por suas artimanhas. Ele mente, manipula, acusa, distrai, divide e trabalha para nos afastar da nossa missão privilegiada na vida. Ele veio para roubar, matar e destruir. Se vejo perda, morte e destruição, sei que ele está presente. Mas Jesus veio para dar vida. E a vida que ele dá vence toda morte, perda e destruição, e transfunde a eternidade nas nossas veias imediatamente.

Tentei ajudar os meus filhos a aprender a respeito das artimanhas do Diabo de modo que eles entendessem quando ele está tentando enganá-los a ter sua maneira de pensar. Quase sempre a batalha é na mente. Para ilustrar, quero contar uma história sobre o meu filho Brian, que aconteceu em uma época muito problemática da vida dele.

Invasões na noite

Brian era um dos que, muito cedo na vida, percebia quando Beni se levantava de manhã para orar. As mães de crianças pequenas entendem este desafio: encontrar tempo e lugar onde não haja criancinhas que necessitem de total atenção. Beni levantava-se, ah, tão silenciosamente, e ia até a sala, perto do aquecedor a lenha. Ela sempre amou passar esse tempo de qualidade com Jesus. Mas, de certa forma, Brian sabia quando ela estava orando. Ele pegava seu cobertor e aconchegava-se a seu lado sem falar nem perguntar nada. Brian deve ter sido o primeiro da nossa família a "encharcar-se" da presença do Senhor. Beni parecia ter a noção de que ele se sentia atraído pelo momento, porque tinha um desejo internalizado pela presença do Senhor.

Quando tinha mais ou menos 7 anos, Brian começou a ver coisas que o atormentavam no meio da noite. Chegava até mim com olhar aterrorizado, como se estivesse tomado pela angústia. Hoje sei quem sou em Cristo e tenho plena consciência de minha autoridade. Mas aquilo parecia chegar até nós em um nível ao qual eu não estava acostumado.

Eu orava com Brian antes de ele dormir, certificando-me de que ele sabia quem era em Cristo e que Deus estava com ele. Mas pouco adiantou. Lembro-me de uma noite quando ele entrou no nosso quarto totalmente amedrontado. Coloquei-o na cama ao meu lado, e Beni foi para o outro quarto para orar, mas acabou dormindo.

Enquanto estávamos na cama, comecei a ensinar a Brian a respeito da guerra espiritual. Há quatro armas que conheço e queria que ele aprendesse a usá-las. Essas armas capacitaram-no a ter uma vida de vitória. Sem aprender a usar essas ferramentas, ele teria de depender dos outros para ser ajudado.

Tenho certeza de que você conhece a ilustração de dar um peixe a um homem *versus* ensiná-lo a pescar. Se ele ganhar um peixe, terá uma refeição. Se for ensinado a pescar, poderá alimentar-se durante a vida inteira. O mesmo conceito foi aplicado. Se Brian aprendesse a usar o que Deus lhe dera, teria vitória, mas precisaria também ser capaz de transmitir aos outros. Se não aprendesse a usar as armas sozinho, teria de depender da ajuda de outros para se sair bem. As quatro armas são:

1. O sangue de Jesus.
2. A Palavra de Deus.
3. O nome de Jesus.
4. A adoração.

Durante a noite, ele e eu conversávamos sobre cada arma e como usá-la, e depois passávamos para a lição prática. A conversa era mais ou menos assim:

O sangue de Jesus nos liberta. E é por causa do sangue que temos direito legal a cada vitória em Cristo por toda a eternidade. É por meio do sangue que fomos separados, distanciados do uso comum, para os propósitos do Rei e de seu Reino. Suplicar o sangue de Jesus sobre a nossa vida é apenas enfatizar pela fé a realidade que já existe para nós.

A Palavra de Deus é a arma mais poderosa. Lembro-me de ter orado por um rapaz que sofreu um acidente. As ondas cerebrais e os sinais vitais haviam desaparecido. Os médicos o mantinham vivo por meio de aparelhos. Entrei na sala do pronto-socorro e orei por ele, declarando a Palavra do Senhor sobre sua vida. Ele acordou na manhã seguinte, totalmente bem. É pela Palavra de Deus que o mundo foi criado. E é pela Palavra de Deus que somos equipados para lutar. Paulo disse a Timóteo que lutasse de acordo com as profecias proferidas a respeito dele (v. 1Timóteo 1.18). Deus ainda fala, mas nunca em contradição com sua Palavra. Quando ele nos fala, está nos equipando para vencer a batalha do nosso destino.

O nome de Jesus é o nome diante do qual todo joelho se dobrará e toda língua confessará que Jesus Cristo é o Senhor. Essa é uma realidade incontestável. O Diabo tem medo do nome de Jesus. Ele não tem medo do meu. Mas tem medo de mim quando falo em nome de Jesus. Ele treme realmente diante de alguém que conhece o poder desse nome. Usar o nome de Jesus é encontrar refúgio em seu nome. É uma torre forte, um lugar de esconderijo na batalha (v. Provérbios 18.10). É muito importante que todo cristão aprenda a usar essa ferramenta.

A adoração é extremamente poderosa. Aparentemente Davi foi o único que descobriu essa verdade. Quando Deus é exaltado na adoração, seus inimigos se espalham (v. Salmos

68.1,2). Há tantas informações sobre esse assunto nas Escrituras que é quase impossível ler a Palavra sem encontrá-las. A adoração é uma arma tão eficaz que às vezes somos tentados a adorar a Deus só para vencer um conflito espiritual em vez de transformá-la em ferramenta para glorificá-lo. É Deus quem torna o louvor poderoso contra os poderes das trevas. Isaías 42.10-13 ilustra bem o que estou dizendo. O louvor foca Deus, não o Diabo. Essa distinção nos ajuda a aprender a usar as quatro armas com eficiência.

Novos convertidos

Lembro-me de um casal que acabara de entregar a vida a Cristo. Eles estavam um pouco apavorados porque, quando oravam, seu filho começava a rosnar como se houvesse uma óbvia manifestação demoníaca. Às vezes, o modo de vida dos pais antes de aceitar Jesus apresenta aos filhos várias oportunidades de serem possuídos por demônios.

Dei uma rápida lição àquele pai sobre guerra espiritual e disse-lhe que orasse por seu filho à noite enquanto a criança dormia. Ele procedeu assim, e na primeira noite a criança agitou-se na cama, mas depois tranquilizou-se. Houve libertação e, na manhã seguinte, seu filho acordou normal e liberto!

Os pais sempre têm esse tipo de autoridade. No entanto, em nossa luta por Brian, tive de usar sua vontade e obediência como parte da nossa vitória. Na época, eu não sabia quase nada do que sei agora — que Deus usa a estratégia do Diabo contra ele transformando a área alvo de fraqueza em uma nova área de força. Tudo isso ocorre pela graça de Deus. E a vida de Brian é hoje um testemunho desse fato.

O campo de batalha chamado noite

Como sempre, eu orava com Brian antes de ele dormir, como fazia com todos os meus três filhos. Orava especificamente a respeito do assunto de terrores noturnos. Depois que ele estava dormindo, eu ia novamente até sua cama para orar um pouco mais por ele. No entanto, ele sempre acordava com o mesmo problema.

Eu o levava para o meu quarto de novo, e Beni ia dormir em outro quarto. Eu não me importava nem um pouco. Precisávamos vencer aquela luta juntos. Conversávamos sobre um princípio bíblico de vitória e depois orávamos e adorávamos. A adoração passou a ser uma arma primordial para Brian e também para mim. Às vezes, declarávamos a Palavra de Deus até ocorrer a reviravolta. Brian voltava a ficar em paz e caía no sono.

Lembro-me de uma noite em particular quando eu lhe disse que poderia entrar no meu quarto em qualquer hora que precisasse de mim, mas antes queria tentar uma novidade. "Antes de vir até mim", eu disse, "veja se Deus dará uma palavra para você usar em favor da sua vitória."

Ele não entrou no meu quarto naquela noite. Quando nos sentamos para tomar o café da manhã, perguntei-lhe entusiasmado se tudo estava bem, porque ele não havia voltado ao meu quarto. Ele disse que fora uma noite horrível. Perguntei, então, por que não recorrera a mim. Ele disse que havia feito o que eu lhe dissera. Pediu a Deus que falasse a ele um texto de sua Palavra. Deus foi tão generoso que lhe deu exatamente o que Brian necessitava, e ele consegue citar aquele texto até hoje. O texto tornou-se parte de seu arsenal contra os estratagemas do Diabo.

Às vezes, as nossas vitórias chegam em um instante, geralmente precedidas de uma ação muito específica, direcionada por Deus. Outras vezes, a nossa vitória chega lentamente e tem ligação com o nosso crescimento. A última foi o caso de Brian. Embora tenha havido momentos de avanço, o problema geral diminuiu à medida que ele crescia para tornar-se o homem que Deus planejara que ele fosse. Como sempre, o Diabo superestimou sua própria capacidade. Hoje, Brian exerce grande autoridade sobre esse problema, ajudando numerosas pessoas com problemas semelhantes. Sua vitória pessoal tornou-se uma bênção para muitos. Agora ele conduz muitas pessoas à liberdade. Sua vida agora grita: "Liberdade por meio de Jesus!".

A mesa do Senhor

Já mencionei o sangue de Jesus como uma arma, mas gostaria de focar com mais clareza essa parte da nossa vida encontrada na eucaristia — comunhão. Esse é um dos momentos mais especiais na vida do cristão. É o momento em que honramos o Senhor ao nos lembrar de sua morte e ressurreição e proclamar seu breve retorno.

Beni e eu gostamos de tomar a comunhão todos os dias. Na verdade, significa que participamos dessa refeição solene com muita frequência. Às vezes, juntos; às vezes, separados. Seja como for, ela se tornou uma ferramenta fundamental da nossa vida para o bem da nossa família.

Em um capítulo anterior, apresentei a história de como Jó oferecia sacrifícios por seus filhos depois que eles comemoravam um aniversário ou participavam juntos de outros grandes eventos (v. Jó 1.4,5). Esse era seu papel de intercessor, que, segundo a

Bíblia, exercia continuamente. Adoro isso! O exemplo de Jó sempre agitou o meu coração em favor dos meus filhos. Ele não esperava até que seus filhos pecassem, e depois clamava a Deus em favor deles. Ele clamava a Deus para que o coração de seus filhos não se descuidasse. E clamava durante tempos de bênçãos, não de crises. Que atitude maravilhosa! Com base nesse princípio, gostaria de falar sobre a comunhão — o corpo partido e o sangue derramado de Jesus. Beni escreveu um livro maravilhoso sobre o assunto, *The Power of Communion* [O poder da comunhão].[1]

O pão

O pão é o corpo partido de Jesus. Ele foi partido para que nos tornássemos inteiros. Ele se esvaziou, para que nos tornássemos cheios. Ele foi rejeitado, para que fôssemos aceitos. Ele tornou-se pecado, para que nos tornássemos justos. A lista é extensa. Ele tomou sobre si as nossas dores, as nossas aflições, as nossas enfermidades e os nossos tormentos, para que não tivéssemos de passar por isso sozinhos.

O corpo partido é a carne lacerada de Jesus. Sua carne foi ferida durante os espancamentos que recebeu, quando foi açoitado. A respeito dessas feridas em sua carne, as Escrituras dizem que fomos curados por elas (v. 1Pedro 2.24). Quando seguro o pão partido diante do Senhor, faço a confissão do que Deus disse. É mais ou menos assim: "Pelas feridas de Jesus, eu fui curado". Passo então a orar por amigos que estão sofrendo problemas físicos: "Pelas feridas de Jesus, Mary foi curada. Câncer, desapareça!".

[1] **The Power of Communion:** Accessing Miracles through the Body & Blood of Jesus (Destiny Image, 2019).

Continuo com essa forma de orar com declaração até terminar a lista de todas as pessoas que Deus pôs na minha mente. Uma das amigas de Beni sofreu múltiplas enfermidades terminais, e Beni encorajou-a a tomar a comunhão todos os dias. Ela seguiu as recomendações. Dentro de dois meses, foi totalmente curada. Foi por isso que Jesus sofreu quando morreu.

O sangue

É o sangue de Jesus que nos liberta. Foi o derramamento do sangue inocente do Cordeiro de Deus que derrotou para sempre o registro e o poder do pecado na vida do cristão.

Quando seguro o cálice diante do Senhor, gosto de repetir a confissão e a proclamação. Declaro com autoridade: "Mas eu e a minha família serviremos ao SENHOR" (Josué 24.15b). Lembro o Senhor do fato de que, no Antigo Testamento, um cordeiro era sacrificado em cada casa. E que aquele sacrifício era feito por meio de um pacto inferior. Quero que cada um dos meus descendentes sirva ao Senhor com entusiasmo e grande alegria. E oro para esse fim.

Depois menciono o nome de cada pessoa da família, de acordo com cada lar: Eric e Candace e suas filhas, Kennedy e Selah; Brian e Jenn e seus filhos, Haley, Téa, Braden e Moses; Gabe e Leah e seus filhos, Judah, Diego, Isabella e Cruz. Em seguida, oro para que o sangue de Jesus cubra cada membro da família e que Deus lhe conceda um coração que o conheça. Também peço a Deus que ensine a todos eles seus caminhos e que conheçam os caminhos do Espírito Santo no avivamento todos os dias da vida. Esse é o meu clamor.

A partir daí, passo para outras situações em oração, mencionando especificamente três homens muito conhecidos que fizeram questão de me apresentar como herege ou como uma pessoa sem fé. A Bíblia é clara: não temos permissão para criticar o servo alheio (v. Romanos 14.4). Esses homens não trabalham para mim. Trabalham para Deus. E, se Deus não me defender, não mereço ser defendido. No momento em que oro por esses líderes do Corpo de Cristo, peço a Deus que os abençoe grandemente, como ver seus filhos e netos servindo ao Senhor com grande zelo e alegria. Peço a Deus que eles prosperem de todas as formas possíveis e que nunca lhes falte nada.

Depois de passar por essas áreas de oração, apresento ao Senhor as pessoas que trabalham comigo, bem como muitos amigos íntimos. Mas o meu ponto fundamental deve ser claro: o momento da comunhão perante o Senhor é muito especial para mim. Quero honrá-lo e louvá-lo por sua obra de valor inestimável, bem como fazer parte da oração intercessora por minha família.

Lembro-me de alguns anos atrás quando ouvi falar de uma mulher que orou dessa forma por seu filho extremamente rebelde. Enquanto segurava o cálice diante do Senhor, ela reconheceu que o sangue de Jesus era suficiente para seu filho e que ela estava reivindicando sua alma. Depois de algumas horas, o filho arrependeu-se totalmente.

Tente esta prática em casa, por favor

De acordo com o meu entendimento sobre a vida nesse Reino, o poder de Deus e sua vontade são liberados por nosso intermédio de três formas específicas: um decreto, o ato de fé e um ato profético. Vamos analisá-las mais de perto:

Decreto — É onde dizemos o que Deus está dizendo. Jesus nunca orou pelos doentes que podemos encontrar. Mas ele falava a um problema, fosse um demônio, uma doença ou condição, ou a um fenômeno da natureza. como uma tempestade. Às vezes, as coisas precisam ser ditas. A vida e a morte estão no poder da língua. Escolha a vida.

Ato de fé — É onde a fé verdadeira nos leva a fazer algo irracional. Pode ser esvaziar a minha conta bancária para fazer uma doação, quando sou eu quem está necessitando progredir. Essa ação não é um estratagema para ter fé. Ao contrário, é a expressão da fé.

Ato profético — É quando o Senhor pede uma ação sem nenhuma ligação lógica com o resultado desejado. Vem-me à mente a história bíblica do profeta que jogou um galho na água para recuperar um machado perdido (v. 2Reis 6.1-7). Você poderá jogar galhos na água o dia inteiro e não fazer o ferro flutuar — a menos, claro, que Deus diga a você para jogar o galho na água.

Cada uma dessas três ações deve tornar-se uma ferramenta para nos ajudar a vencer. Curiosamente, grandes verrugas cresceram ao mesmo tempo na sola dos pés de Eric e também de Brian. As verrugas eram do tamanho de uma moeda de 10 centavos. Ensinamos os garotos a "falar ao monte", ordenando que fossem removidas em nome de Jesus. Eles agiram assim durante muitos dias, todas as vezes que pensavam nas verrugas. Uma noite, enquanto os colocávamos na cama, notamos que a verruga de um deles havia desaparecido completamente. Quando fomos olhar a do outro, ela caiu na mão dele. Alguns anos depois, o mesmo aconteceu com Leah. Ela aplicou o mesmo princípio, e a verruga desapareceu.

Uma verruga não é um monte. Mas proporciona boa prática para aprendermos a demonstrar o nosso propósito e missão de divulgar a vontade de Deus na terra. Aproveite os momentos para ensinar aos seus filhos a autoridade que possuem nesse Reino maravilhoso.

Por causa da cruz

Jesus não sofreu daquela maneira para que pudéssemos frequentar igreja. Não estou menosprezando a frequência à igreja. Adoro frequentá-la. No entanto, há muito mais. Ele nos comprou, levando-nos a fazer parte de sua família, para que pudéssemos manifestar quem ele é e o que ele é para o mundo. Temos a honra de representar Jesus!

Da mesma forma que a ressurreição ocorreu depois da cruz, os avanços da promessa acompanham o nosso dever sacrificial como pais. Porque Jesus se entregou por nós da maneira mais extrema possível, precisamos viver conscientes de que ele pode fazer tudo para nos capacitar a ter sucesso na missão que ele nos deu. Ser pai ou mãe é uma função sagrada, tendo como exemplo o Pai e o Filho. Temos o privilégio de aceitar essa missão com alegria, sabendo que Jesus é mais que suficiente para compensar a nossa fraqueza e ignorância, assegurando que sua vitória ao sair do túmulo seria nossa vitória no lar.

Deus escolheu as famílias para terem um impacto no curso da história mundial. Recebemos todas as ferramentas de que necessitamos para promover a transformação e o discipulado das nações que Deus planejou. Todas as nossas necessidades foram supridas no sacrifício do Cordeiro de Deus em nosso favor. E é por causa da cruz que temos confiança para viver, servir e imaginar o futuro. Por esse motivo, temos esperança inabalável.

Esse foi o preço que Jesus pagou. Jesus deseja que tenhamos filhos, que tenhamos filhos, que tenhamos filhos... que impactarão o mundo com seu amor, poder, sabedoria e pureza. E é para esse fim que aceitamos o privilégio de ser *pais e mães intencionais* — criando vencedores de gigantes!

Apêndice 1

DEZ COISAS QUE EU QUERO QUE OS MEUS FILHOS SAIBAM

Esta é uma carta que escrevi a meu filho Eric em junho de 1994. Nela, mencionei as dez coisas que eu queria que os meus filhos soubessem antes de sair de casa. Embora apenas Eric seja mencionado, esta carta representa o meu compromisso e foco com Brian e Leah também. Estas eram as minhas metas para ser um *pai intencional.*

> *Meu filho Eric,*
>
> *Creio não ser possível a qualquer pai amar seus filhos mais do que eu amo você, Brian e Leah. Cada um de vocês me dá muito orgulho.*
>
> *Os últimos meses têm sido difíceis para mim, tudo por causa da formatura esta noite. Passo muito tempo pensando no meu papel como pai, conjeturando a respeito da minha responsabilidade e do meu privilégio de ensinar a você coisas que tenham importância. Antes de você nascer, decidi seguir a Deus nessa missão. Os dezoito anos se passaram rápido demais, e me sinto dividido — feliz por você ter crescido e amadurecido, mas triste porque meu papel está mudando. Eu estava apenas começando.*

Durante esse tempo de reflexão, senti a mesma coisa que sentia antes das provas na escola: nervoso e esperando ter feito a minha parte. Certamente você fez a sua. De qualquer forma, elaborei uma lista das coisas importantes para serem aprendidas, muito semelhante à que fiz no meu coração quase dezoito anos atrás. Vou chamá-las de dez coisas que eu quero que os meus filhos aprendam antes de sair de casa. Tenho tentado ser um exemplo para você nessas coisas. Quando me sinto fraco, Deus permanece forte, e lhe ensinará pessoalmente.

1. Aprenda a orar, simplesmente.

Você sabe que não escondo meus pecados e falhas de você. Quero que conheça as minhas imperfeições e o compromisso assumido com Deus de perdoar e usar qualquer pessoa disposta a servir. Quando passamos por necessidades, a sua mãe e eu não escondemos nada de você. Não queríamos proteger você de expor-se a problemas. Queríamos que aprendesse a orar da forma correta — nas trincheiras, não apenas na sala de aula.

A oração pode desenvolver-se por meio da disciplina. Você pode aprender com livros e com exemplos de outras pessoas. Mas, em todo o seu aprendizado, seja simples. Exija de você o romantismo de conhecer Deus e que a oração jamais seja reduzida a um dever.

2. Você estará diante de Deus e prestará contas da sua vida.

Não posso imaginar um momento mais assombroso no tempo do que o dia em que estaremos diante de Deus para prestar contas da nossa vida. O trono do julgamento diante do qual teremos o privilégio de estar como cristãos não é aquele no qual o céu ou o inferno estão envolvidos. Isso já foi resolvido para sempre graças a Jesus. A única pergunta que permanece é: O que eu fiz com o que Deus me deu? Ele me deu muitas coisas: tempo, habilidades, amigos, uma herança, discernimento, propósito, um chamado/missão e mais do que eu poderia relacionar nesta carta. Lembre-se, por favor: esse é um momento único que será muito mais importante para você que todos os outros juntos. Invista bem nele, porque será o momento em que ouviremos: "Muito bem, servo bom e fiel".

3. Você é responsável pelas escolhas que fizer.

Tenho certeza de que você se lembra das muitas vezes em que nos esforçamos para deixar esse assunto bem claro. Você se aproximava da sua mãe e de mim, muito aborrecido por causa do que fulano de tal fez. E prosseguia, dizendo: "Ele me deixou furioso". E nós dizíamos: "Ele não o deixou furioso; a escolha foi sua". E houve ocasiões em que os amigos faziam algo errado e você dizia que eles o forçaram a acompanhá-los. De novo, a nossa resposta era: "A escolha foi sua. Ninguém o obrigou". Foi difícil a princípio, mas parecia que você estava aprendendo essa lição tão importante.

Na época em que estamos vivendo, está cada vez mais difícil encontrar pessoas que não culpem os outros por algo que, quase sempre, é o simples resultado da escolha que fizeram. Está cada vez mais na moda culpar qualquer um, desde professores, pais, sociedade, até Deus, por qualquer calamidade que surja no caminho. Tudo isso é resultado de pessoas que priorizam seus direitos em detrimento de suas responsabilidades. Trata-se de uma simples mentira, com devastação duradoura. Resista a qualquer custo!

Você receberá da vida o que depositou nela, seja no ministério, seja no casamento, seja na família, seja no trabalho, seja na recreação etc. Deus explicou desta maneira: Você colhe o que planta.

4. O dinheiro é realmente importante.

Tenho aprendido muito ao longo dos anos sobre esse assunto e ainda muito a aprender. Estes são os pontos mais importantes. Ofereça a Deus o primeiro e o melhor; a dívida cresce como erva daninha, ao passo que as economias crescem como um jardim (significando que, com trabalho árduo, você poderá aumentar as suas economias, mas a estagnação abre espaço para dívidas); generosidade e contentamento são as duas palavras-chave para o sucesso financeiro; e não trabalhe para dar dinheiro a Deus. Trabalhe para honrar a Deus com seu trabalho e depois o honre com o fruto do seu trabalho.

Eu esperava ensinar muito mais coisas a você do que fui capaz. Isso porque sou lento para aprender e não fui aprovado em todos os cursos.

5. Os relacionamentos compensam o alto preço.

Você se lembra de que, todos os anos, as épocas do campeonato de futebol e o campeonato de beisebol coincidiam? Parecia que havia sempre dois ou três jogos de futebol programados quando o time de beisebol começava a treinar. Era sempre uma tentação deixar o futebol de lado e passar a fazer outras coisas. Sempre exigimos que você terminasse o que começou. Ou, conforme dizíamos: "Onde você assumiu seu primeiro compromisso é onde ficará até terminar". O compromisso (ou aliança, conforme diz a Bíblia) é a espinha dorsal dos relacionamentos. Desse compromisso nascem a lealdade e a fidelidade. O valor dos bons relacionamentos vai muito além da nossa capacidade de compreensão. Você terá uma verdadeira riqueza bíblica se tiver apenas alguns amigos de longa data. Mas, para ter um amigo, você precisa ser um amigo.

Mais uma coisa. Escolha acreditar no melhor das pessoas. Dê a elas o benefício da dúvida. Você será poupado de muita angústia e dor de cabeça.

6. Cuidando da prioridade máxima!

Não protegemos você de tragédias constrangedoras na Igreja — dos fracassos morais de um grande número de líderes no Corpo de Cristo. Muitos desses homens e mulheres caíram simplesmente porque tentaram por muito tempo dar às pessoas mais do que haviam recebido de Deus. Esse modo de vida nos exaure em termos físicos, emocionais, mentais e espirituais. Dessa carência pode surgir falta de cuidado. E o resto é história. O único antídoto é manter o nosso estoque cheio, isto é, pondo o nosso relacionamento com Deus em primeiro lugar.

Quando entramos em uma aeronave, a comissária explica a todos os passageiros que a máscara de oxigênio descerá do teto em caso de necessidade. Ela sempre lembra aos pais: "Coloque a máscara primeiro em você e depois em seus filhos". Pôr o seu relacionamento com Deus em primeiro lugar não é egoísmo. É o mesmo que as árvores distantes fazem para alcançar as águas das correntes subterrâneas. Elas foram criadas para fazer isso. Qualquer outra coisa não seria altruísmo; seria tolice! Colocar a máscara em você em primeiro lugar é a garantia de que estará por perto para ajudar os outros.

7. Seja excelente!

Se algo merece o seu tempo e esforço, então vale a pena fazer bem feito. E, se o fizer bem feito, sacrifique-se até ser excelente.

Notamos que, quando criança, você era perfeccionista. Tudo tinha de estar exatamente certo, para estar certo. Esse tipo de determinação aflige o descuidado e condena o despreocupado. No entanto, foi o que levou os astronautas à Lua, deu a Joe Montana quatro anéis da Super Bowl,[1] *e ajudou dois rapazes a desenvolver um novo sistema para computadores na garagem da casa deles, tudo isso enquanto permaneciam à sombra de Golias (IBM), e, finalmente, transformando seus esforços na maior empresa de computadores do mundo. Você tem agido assim com frequência na sua vida. Só não se esqueça de duas*

[1] Final do campeonato da Liga Nacional de Futebol Americano. [N. do T.]

orientações bíblicas: seja o que for que você tiver de fazer, faça com todas as suas forças; e faça como se estivesse fazendo para o Senhor. Essas duas qualificações desviam os nossos esforços do que é secular e os convergem no âmago do que é eterno, onde eles são realmente importantes.

8. Leia a Bíblia com o máximo empenho!

Nunca me esquecerei do dia em que compramos para você e Brian a versão da Bíblia Internacional para Crianças. *Você tinha cerca de 7 anos. Por ser a única tradução no mundo para crianças (com escolaridade capaz de entender a leitura), esperávamos que você a entendesse um pouco mais. Em pé na livraria, eu li para você Gálatas 2.20, em que Paulo faz a afirmação clássica: "Assim, já não sou eu quem vive, mas Cristo vive em mim [...]". Quando terminei de ler o versículo, seus olhos brilharam, e você disse com entusiasmo: "Ei, eu entendi!". Se aquela Bíblia custasse mil dólares, eu teria encontrado uma forma de comprá-la para você. Filho, por favor, não subestime o poder desse livro. Exércitos marcharam contra ele, reis esforçaram-se para destruí-lo e filósofos profetizaram sua extinção. No entanto, a Palavra de Deus permanece como um testemunho de Deus levando salvação ao homem. E nenhum poder do inferno é capaz de deter esse testemunho contínuo.*

Com base nisso, recorra ao Senhor sempre, quando estiver faminto, humilhado, alquebrado e em grande necessidade. Não recorra a ele para poder ensinar a outros. Só ensine o que você aprendeu. Faça do aprendizado a sua prioridade. Todas as respostas para todas as necessidades estão disponíveis a você nesse livro, a Bíblia.

9. Passe adiante a sua fé.

Certa vez, enquanto ministrava na Espanha, liguei para casa para saber como vocês estavam.

Quando você pegou o telefone, perguntou se alguém havia sido salvo. Tive de explicar a você que eu estava lá para trabalhar com pastores e alunos da escola bíblica, portanto ninguém havia aceitado a Cristo. Naquela noite, falei a uma igreja, e uma jovem nasceu de novo. Foi a única vez que isso aconteceu em uma viagem daquele tipo. Creio que foi em honra à sua preocupação.

Você é um evangelista por natureza. Recebeu esse dom. Todos nós sabemos disso há anos. É grande o meu entusiasmo porque o seu futuro será levado em conta por toda a eternidade.

Você se lembra de quando eu o levei de carro a Redding para assistir a uma reunião de Mario Murillo e o encorajei a "observar o evangelista, porque um dia você seria como ele"?

Se você fizer do coração de Deus o foco do seu coração, e lembrar-se do valor da vida humana, nunca faltarão oportunidades para você ministrar esse maravilhoso evangelho a um mundo agonizante. E você fará isso com o poder da ressurreição!

10. Saiba o que Deus pensa sobre você.

O perdão de Deus é maior que a sua capacidade de pecar. O plano de Deus para você é perfeito. É o único plano capaz de satisfazer completamente o seu coração. Deus pensa em você o tempo todo. Na verdade, tanto Jesus quanto o Espírito Santo oram ao Pai vinte e quatro horas por dia em seu favor! Deus vê além de seus problemas e empolga-se com o seu potencial. Ele confia tanto que você está indo bem na vida que, neste momento, está preparando um lugar para você na eternidade como parte da sua recompensa. Ele sentiu que valeu a pena morrer em seu favor, para que você achasse que vale a pena viver por ele. Ele nunca começa o dia de mau humor. Suas misericórdias renovam-se a cada manhã! Os pensamentos dele a seu respeito são grandes e dignos de que você os descubra.

Com muito amor!

Papai

Apêndice 2

GUIA PARA OS PAIS SOBRE ESCOLA BÍBLICA EM CASA

Este foi o modelo que adotamos trinta anos atrás na nossa igreja em Weaverville. Eu o menciono agora como referência para o que devemos fazer a fim de colaborar no aprendizado dos nossos filhos.

No nosso programa da escola dominical, cada lição segue um gabarito de quatro partes, que deixa espaço para o "gosto" pessoal da família. O falecido Larry Richards, um homem que muito admirei, criou esse fundamento. Ele foi autor, educador e também editor da *Adventure Bible* [Bíblia aventura] e *Teen Study Bible* [Bíblia de estudo para adolescentes], amplamente utilizadas.

1. **Compartilhando amor** — Cada lição começa com uma atividade, com a intenção de estabelecer um clima descontraído e encorajador. A nossa escola dominical já está dentro do ambiente familiar, portanto a informalidade não é problema. Esse tempo inicial, no entanto,

é usado para preparar o terreno para uma comunicação cordial e sincera ou: a) afirmando um ao outro com palavras de encorajamento iniciadas pelos pais, ou b) abrindo com uma pergunta cujo objetivo é estimular a curiosidade e a conversa sobre o assunto do dia.

2. **Entendendo a verdade de Deus** — Esse tempo de ensinamento inclui atividades criativas de aprendizado para reforçar cada lição. Em geral, lembramos de 10% do que ouvimos, de 50% do que ouvimos e vimos e de 90% do que ouvimos, vemos e fazemos!
3. **Estudando a Palavra de Deus** — Essa é uma oportunidade para que a verdade seja vista nas Escrituras. É recomendável que as crianças mais velhas encontrem os textos e os leiam, mas as mais novas gostam que alguém leia a Bíblia para elas como se fosse uma história.
4. **Reagindo à verdade de Deus** — Finalmente, aplicamos a verdade que foi ensinada. Esse tempo de aplicação inclui reconhecer a responsabilidade pessoal ou sugerir atividades para assegurar que a família inteira ande na verdade. Lembre-se: o nosso objetivo não é apenas o de transmitir fatos bíblicos; é o de transmitir a ideia de "semelhança" (v. Lucas 6.40). Em razão disso, precisamos nos lembrar constantemente de personalizar a verdade em vez de lidar com ela de modo abstrato.

Apêndice 3

QUATRO PILARES DO PENSAMENTO – UMA DECLARAÇÃO

LEMOS DE VEZ EM QUANDO a seguinte confissão antes de receber uma oferta. Ela é uma das quatro leituras que usamos na Bethel Church no momento da oferta.[1] Escritas por aqueles que atuam no ministério infantil, elas se baseiam nos quatro pilares do pensamento, estudados no capítulo 3. Declarados como confissão, são uma maneira prática para incutir esses conceitos no fundo do coração.

Sou poderoso.
E aquilo em que acredito muda o mundo.
Portanto, declaro hoje:

[1] Para conhecer todas as leituras de oferta, acesse: <https://bethel.com/offering-readings/>.

Deus está de bom humor.
Ele me ama o tempo todo.
Nada pode separar-me de seu amor.
O sangue de Jesus pagou tudo.
Contarei às nações o que ele tem feito.

Sou importante.
O modo pelo qual ele me criou é espantoso.
Fui criado para a adoração.
A minha boca garante o louvor para silenciar o inimigo.
Todos os lugares aonde vou tornam-se
uma área de saúde perfeita.
E com Deus

Nada é impossível!

Apêndice 4

ORANDO A BÍBLIA

Estes são alguns versículos que a nossa família tem usado para orar pelos nossos filhos e netos e, no caso da minha mãe, por seus bisnetos. Na verdade, é a lista da minha mãe, que ela entregou a todos os pais e mães da nossa família. Você vai notar que alguns textos bíblicos podem ser orados e declarados "como estão". Em outros casos, as Escrituras apresentam um princípio que revela *como* ou *do que* necessitamos para nos dirigir a Deus em oração e/ou proclamação. As passagens estão relacionadas em diferentes versões da Bíblia: *Nova Versão Internacional* (*NVI*) e *Almeida Revista e Atualizada* (*ARA*, edição 2008). Em alguns casos foi incluída uma terceira: *A Mensagem* (*MSG*):

Josué 24.15

NVI

"[...] Mas eu e a minha família serviremos ao Senhor."

ARA

[...] Eu e a minha casa serviremos ao Senhor.

Deuteronômio 4.9

NVI

"Apenas tenham muito cuidado! Tenham muito cuidado para que vocês nunca se esqueçam das coisas que os seus olhos viram; conservem-nas por toda a sua vida na memória. Contem-nas a seus filhos e seus netos."

ARA

Tão somente guarda-te a ti mesmo e guarda bem a tua alma, que te não esqueças daquelas coisas que os teus olhos têm visto, e se não apartem do teu coração todos os dias da tua vida, e as farás saber a teus filhos e aos filhos de teus filhos.

Salmos 18.50

NVI

Ele dá grandes vitórias ao seu rei;
é bondoso com o seu ungido,
com Davi e os seus descendentes para sempre.

ARA

É ele quem dá grandes vitórias
ao seu rei
e usa de benignidade para
com o seu ungido,
com Davi e sua posteridade,
para sempre.

MSG

O rei designado por Deus leva o troféu;
o escolhido de Deus é bem-amado.
Refiro-me a Davi e a toda a sua descendência —
para sempre.

Salmos 22.30,31

NVI

A posteridade o servirá;
gerações futuras ouvirão falar do Senhor,
e a um povo que ainda não nasceu
proclamarão seus feitos de justiça,
pois ele agiu poderosamente.

ARA

A posteridade o servirá;
falar-se-á do Senhor à geração
vindoura.
Hão de vir anunciar
a justiça dele;
ao povo que há de nascer,
contarão que foi ele
quem o fez.

MSG

Nossos filhos e os filhos deles
farão parte disso.
Quando a palavra for passada adiante,
de pai para filho.
Os bebês que nem sequer foram concebidos
ouvirão as boas-novas —
Deus cumpre o que promete.

Salmos 33.11

NVI

Mas os planos do Senhor
permanecem para sempre,

os propósitos do seu coração,
por todas as gerações.

ARA

O conselho do SENHOR
dura para sempre;
os desígnios do seu coração,
por todas as gerações.

MSG

Os planos do Eterno para o mundo permanecem,
todos os seus desígnios são feitos para durar.

Salmos 37.26

NVI

Ele é sempre generoso
e empresta com boa vontade;
seus filhos serão abençoados.

ARA

É sempre compassivo
e empresta,
e a sua descendência será
uma bênção.

MSG

Ele sempre tem para dar e emprestar,
e seus filhos o deixam orgulhoso.

Salmos 78.1-7

NVI

Povo meu, escute o meu ensino;
incline os ouvidos
  para o que eu tenho a dizer.
Em parábolas abrirei a minha boca,
proferirei enigmas do passado;
o que ouvimos e aprendemos,
o que nossos pais nos contaram.
Não os esconderemos dos nossos filhos;
contaremos à próxima geração
  os louváveis feitos do SENHOR,
o seu poder e as maravilhas que fez.
Ele decretou estatutos para Jacó,
  e em Israel estabeleceu a lei,
e ordenou aos nossos antepassados
  que a ensinassem aos seus filhos,
de modo que a geração seguinte a conhecesse,
  e também os filhos que ainda nasceriam,
e eles, por sua vez,
  contassem aos seus próprios filhos.
Então eles porão a confiança em Deus;
não esquecerão os seus feitos
e obedecerão aos seus mandamentos.

ARA

Escutai, povo meu,
  a minha lei;
prestai ouvidos às palavras
  da minha boca.
Abrirei os lábios em parábolas
e publicarei enigmas
  dos tempos antigos.

O que ouvimos e aprendemos,
o que nos contaram nossos pais,
não o encobriremos a seus filhos;
contaremos à vindoura geração
os louvores do SENHOR,
  e o seu poder,
e as maravilhas que fez.
Ele estabeleceu um testemunho
  em Jacó,
e instituiu uma lei em Israel,
e ordenou a nossos pais
que os transmitissem
  a seus filhos,
a fim de que a nova geração
  os conhecesse,
filhos que ainda hão de nascer
se levantassem e por sua vez
  os referissem
  aos seus descendentes;
para que pusessem em Deus
  a sua confiança
e não se esquecessem
  dos feitos de Deus,
mas lhe observassem
  os mandamentos.

MSG

Atentem, queridos amigos, à verdade de Deus,
  prestem atenção ao que vou contar.
Estou remoendo um pedaço de provérbio
  e revelarei a vocês as doces e antigas verdades.
As histórias que ouvimos do nosso pai,
  os conselhos que aprendemos no colo da nossa mãe.

Não vamos guardar isso para nós:
vamos passá-lo para a próxima geração —
A fama e a força do Eterno,
as coisas maravilhosas que ele fez.
Ele plantou um testemunho em Jacó,
estabeleceu sua Palavra em Israel,
Então, ordenou aos nossos pais
que a ensinassem aos filhos,
Para que a geração seguinte a conhecesse,
e também as que viessem depois;
Para que conhecessem a verdade e passassem os fatos adiante,
a fim de que seus filhos pudessem confiar em Deus,
Sem nunca esquecer suas obras
e seguir seus mandamentos ao pé da letra.

Salmos 79.13

NVI

Então nós, o teu povo,
as ovelhas das tuas pastagens,
para sempre te louvaremos;
de geração em geração
cantaremos os teus louvores.

ARA

Quanto a nós, teu povo
e ovelhas do teu pasto,
para sempre te daremos graças;
de geração em geração
proclamaremos os teus louvores.

MSG

Então, nós, teu povo, a quem tu amas e de quem cuidas,
te agradeceremos de novo, e de novo, e de novo.

Contaremos ao mundo todo
como és maravilhoso e digno de louvor.

Salmos 90.16,17

NVI

Sejam manifestos os teus feitos
aos teus servos,
e aos filhos deles o teu esplendor!
Esteja sobre nós a bondade
do nosso Deus Soberano.
Consolida, para nós,
a obra de nossas mãos;
consolida a obra de nossas mãos!

ARA

Aos teus servos apareçam
as tuas obras,
e a seus filhos, a tua glória.
Seja sobre nós a graça
do Senhor, nosso Deus;
confirma sobre nós as obras
das nossas mãos,
sim, confirma a obra
das nossas mãos.

MSG

Que teus servos possam te ver naquilo em que és bom:
em governar e abençoar teus filhos!
Que o amor do Senhor, o nosso Deus, esteja sobre nós,
e confirme o trabalho que fazemos!
Oh, sim! Confirma o trabalho que fazemos!

Salmos 100.5

NVI

Pois o SENHOR é bom
e o seu amor leal é eterno;
a sua fidelidade permanece
por todas as gerações.

ARA

Porque o SENHOR é bom,
a sua misericórdia dura
para sempre,
e, de geração em geração,
a sua fidelidade.

MSG

Porque o Eterno é bom demais,
transborda em inefável amor
e é leal para sempre.

Salmos 102.28

NVI

Os filhos dos teus servos
terão uma habitação;
os seus descendentes serão estabelecidos
na tua presença.

ARA

Os filhos dos teus servos
habitarão seguros,
e diante de ti se estabelecerá
a sua descendência.

MSG

"Os filhos dos teus servos terão um bom lugar para viver
e os filhos deles estarão em casa contigo."

Salmos 103.17,18

NVI

Mas o amor leal do SENHOR,
o seu amor eterno, está com os que o temem,
e a sua justiça com os filhos dos seus filhos,
com os que guardam a sua aliança
e se lembram de obedecer aos seus preceitos.

ARA

Mas a misericórdia do SENHOR
é de eternidade a eternidade,
sobre os que o temem,
e a sua justiça, sobre os filhos
dos filhos;
para com os que guardam
a sua aliança
e para com os que se lembram
dos seus preceitos
e os cumprem.

MSG

O amor do Eterno, de qualquer forma, é para sempre,
acompanha eternamente os que o temem,
a eles e a seus filhos,
quando seguem o caminho de sua Aliança
e obedecem a tudo que ele ordenou.

Salmos 112.2

NVI

Seus descendentes serão poderosos na terra,
serão uma geração abençoada,
de homens íntegros.

ARA

A sua descendência será
poderosa na terra;
será abençoada a geração
dos justos.

MSG

Sua casa transborda saúde
E uma generosidade que nunca se esgotam.

Salmos 127.3

NVI

Os filhos são herança do SENHOR,
uma recompensa que ele dá.

ARA

Herança do SENHOR
são os filhos;
o fruto do ventre, seu galardão.

MSG

Não vê que os filhos são os melhores presentes do Eterno,
que o fruto do ventre é seu generoso legado?

Salmos 128

NVI

Como é feliz quem teme o SENHOR,
quem anda em seus caminhos!
Você comerá do fruto do seu trabalho,
e será feliz e próspero.
Sua mulher será como videira frutífera
em sua casa;
seus filhos serão como brotos de oliveira
ao redor da sua mesa.
Assim será abençoado
o homem que teme o SENHOR!
Que o SENHOR o abençoe desde Sião,
para que você veja a prosperidade de Jerusalém
todos os dias da sua vida,
e veja os filhos dos seus filhos.
Haja paz em Israel!

ARA

Bem-aventurado aquele
que teme ao SENHOR
e anda nos seus caminhos!
Do trabalho de tuas mãos
comerás,
feliz serás, e tudo te irá bem.
Tua esposa, no interior
de tua casa,
será como a videira frutífera;
teus filhos, como rebentos
da oliveira,
à roda da tua mesa.
Eis como será abençoado o homem
que teme ao SENHOR!

O Senhor te abençoe desde Sião,
para que vejas a prosperidade
de Jerusalém
durante os dias de tua vida,
vejas os filhos de teus filhos.
Paz sobre Israel!

MSG

Vocês, que temem o Eterno, como são abençoados!
Podem andar alegremente em seu caminho reto.
Vocês trabalharam duro e merecem tudo que
receberam.
Aproveitem a bênção! Celebrem a bondade!
Sua mulher gerará filhos como a vinha produz uvas.
Seu lar será próspero.
Os filhos em volta da mesa,
saudáveis e promissores como brotos de oliveira.
Pasmem diante do "Sim" de Deus.
Oh! Como ele abençoa os que temem o Eterno!
Aproveite a vida próspera de Jerusalém
cada dia da sua vida.
E aproveite também os seus netos.
Paz sobre Israel!

Salmos 144.12-15

NVI

Então, na juventude,
os nossos filhos serão como plantas viçosas,
e as nossas filhas, como colunas
esculpidas para ornar um palácio.
Os nossos celeiros estarão cheios
das mais variadas provisões.

Os nossos rebanhos se multiplicarão
aos milhares,
às dezenas de milhares em nossos campos;
o nosso gado dará suas crias;
não haverá praga alguma nem aborto.
Não haverá gritos de aflição em nossas ruas.
Como é feliz o povo assim abençoado!
Como é feliz o povo cujo Deus é o
SENHOR!

ARA

Que nossos filhos
sejam, na sua mocidade,
como plantas viçosas,
e nossas filhas, como pedras
angulares,
lavradas como colunas
de palácio;
que transbordem os nossos
celeiros,
atulhados de toda sorte
de provisões;
que os nossos rebanhos
produzam a milhares
e a dezenas de milhares,
em nossos campos;
que as nossas vacas andem pejadas,
não lhes haja rotura,
nem mau sucesso.
Não haja gritos de lamento
em nossas praças.
Bem-aventurado o povo a quem
assim sucede!

Sim, bem-aventurado é o povo
cujo Deus é o Senhor!

MSG

Torna nossos filhos, na juventude,
robustos carvalhos,
E nossas filhas, belas e radiantes
como flores silvestres!
Enche nossos celeiros com uma grande colheita,
e enche nossos campos com enormes rebanhos!
Protege-nos da invasão e do exílio!
Elimina o crime das nossas ruas!
Quão abençoado é o povo que tem tudo isso!
Quão abençoado o povo que tem
o Eterno por seu Deus!

Provérbios 11.21-23

NVI

Esteja certo de que
os ímpios não ficarão sem castigo,
mas os justos serão poupados.
Como anel de ouro em focinho de porco,
assim é a mulher bonita,
mas indiscreta.
O desejo dos justos resulta em bem;
a esperança dos ímpios, em ira.

ARA

O mau, é evidente, não ficará
sem castigo,
mas a geração dos justos
é livre.

Como joia de ouro em focinho
de porco,
assim é a mulher formosa
que não tem discrição.
O desejo dos justos tende
somente para o bem,
mas a expectação dos perversos
redunda em ira.

MSG

Tenham certeza disto: o perverso não se
livrará do castigo,
mas o justo será poupado.
Como um anel de ouro no focinho do porco,
assim é a mulher bonita que não tem discrição.
O desejo do justo conduz à felicidade,
mas a ambição do perverso
só pode esperar castigo.

Provérbios 14.26

NVI

Aquele que teme o Senhor
possui uma fortaleza segura,
refúgio para os seus filhos.

ARA

No temor do Senhor,
tem o homem forte amparo,
e isso é refúgio para os seus filhos.

MSG

Quem teme o Eterno tem plena segurança,
pois ele protege os seus filhos.

Provérbios 23.24,25

NVI

O pai do justo exultará de júbilo;
quem tem filho sábio nele se alegra.
Bom será que se alegrem
seu pai e sua mãe
e que exulte a mulher que o deu à luz!

ARA

Grandemente se regozijará o pai do justo,
e quem gerar a um sábio nele
se alegrará.
Alegrem-se teu pai e tua mãe,
e regozije-se a que te deu à luz.

MSG

Os pais se alegram quando seus filhos se dão bem;
filhos sábios enchem os pais de orgulho.
Então, faça seu pai feliz!
Deixe sua mãe orgulhosa!

Isaías 38.19,20

NVI

Os vivos, somente os vivos, te louvam,
como hoje estou fazendo;
os pais contam a tua fidelidade
a seus filhos.
"O SENHOR me salvou.
Cantaremos com instrumentos de corda
todos os dias de nossa vida
no templo do SENHOR".

ARA

Os vivos, somente os vivos,
esses te louvam
como hoje eu o faço;
o pai fará notória aos filhos
a tua fidelidade.
O SENHOR veio salvar-me;
pelo que, tangendo
os instrumentos de cordas,
nós o louvaremos
todos os dias de nossa vida,
na Casa do SENHOR.

Isaías 44.3

NVI

Pois derramarei água na terra sedenta,
e torrentes na terra seca;
derramarei meu Espírito sobre sua prole,
e minha bênção sobre seus descendentes.

ARA

Porque derramarei água sobre o sedento e torrentes, sobre a terra seca; derramarei o meu Espírito sobre a tua posteridade e a minha bênção, sobre os teus descendentes.

Isaías 49.25,26

NVI

Assim, porém, diz o SENHOR:
"Sim, prisioneiros serão tirados
de guerreiros,
e despojo será retomado dos violentos;

brigarei com os que brigam com você,
e seus filhos, eu os salvarei[...]".

ARA

Mas assim diz o SENHOR: Por certo que os presos se tirarão ao valente, e a presa do tirano fugirá, porque eu contenderei com os que contendem contigo e salvarei os teus filhos.

Isaías 51.8b

NVI

"Mas a minha retidão durará para sempre,
a minha salvação de geração em geração."

ARA

Mas a minha justiça durará para sempre, e a minha salvação, para todas as gerações.

Isaías 54.13

NVI

Todos os seus filhos
serão ensinados pelo SENHOR,
e grande será a paz de suas crianças.

ARA

Todos os teus filhos serão ensinados do SENHOR; e será grande a paz de teus filhos.

Isaías 59.21

NVI

"Quanto a mim,
esta é a minha aliança com eles",
diz o SENHOR.

"O meu Espírito que está em
você e as minhas palavras
que pus em sua boca não se
afastarão dela, nem da boca
dos seus filhos e dos
descendentes deles, desde
agora e para sempre",
diz o Senhor.

ARA

Quanto a mim, esta é a minha aliança com eles, diz o Senhor: o meu Espírito, que está sobre ti, e as minhas palavras, que pus na tua boca, não se apartarão dela, nem da de teus filhos, nem da dos filhos de teus filhos, não se apartarão desde agora e para todo o sempre, diz o Senhor.

Jeremias 32.38-40

NVI

Eles serão o meu povo, e eu serei o seu Deus. Darei a eles um só pensamento e uma só conduta, para que me temam durante toda a sua vida, para o seu próprio bem e o de seus filhos e descendentes. Farei com eles uma aliança permanente: Jamais deixarei de fazer o bem a eles, e farei com que me temam de coração, para que jamais se desviem de mim.

ARA

Eles serão o meu povo, e eu serei o seu Deus. Dar-lhes-ei um só coração e um só caminho, para que me temam todos os dias, para seu bem e bem de seus filhos. Farei com eles aliança eterna, segundo a qual não deixarei de lhes fazer o bem; e porei o meu temor no seu coração, para que nunca se apartem de mim.

Lucas 1.50

NVI

A sua misericórdia estende-se
aos que o temem,
de geração em geração.

ARA

A sua misericórdia
vai de geração em geração
sobre os que o temem.

MSG

Suas misericórdias sempre se renovam
sobre aqueles que de coração o adoram.

Atos 2.17,18

NVI

"Nos últimos dias, diz Deus,
derramarei do meu Espírito
sobre todos os povos.
Os seus filhos e as suas filhas profetizarão,
os jovens terão visões,
os velhos terão sonhos.
Sobre os meus servos
e as minhas servas
derramarei do meu Espírito naqueles dias,
e eles profetizarão."

ARA

E acontecerá nos últimos dias, diz o Senhor, que derramarei do meu Espírito sobre toda a carne; vossos filhos e vossas filhas profetizarão, vossos jovens terão visões, e sonharão vossos velhos;

até sobre os meus servos e sobre as minhas servas derramarei do meu Espírito naqueles dias, e profetizarão.

MSG

"Nos últimos dias", Deus diz:
"Vou derramar meu Espírito
sobre todo tipo de gente —
Seus filhos vão profetizar,
e também suas filhas.
Seus jovens terão visões,
seus velhos terão sonhos.
Quando chegar a hora,
vou derramar meu Espírito
Sobre todos os que me servem, homens e mulheres
de igual modo,
e eles vão profetizar."

Atos 3.25

NVI

"E vocês são herdeiros dos profetas e da aliança que Deus fez com os seus antepassados. Ele disse a Abraão: 'Por meio da sua descendência todos os povos da terra serão abençoados".

ARA

Vós sois os filhos dos profetas e da aliança que Deus estabeleceu com vossos pais, dizendo a Abraão: Na tua descendência, serão abençoadas todas as nações da terra.

MSG

"Esses profetas, somados à aliança que Deus fez com os antepassados de vocês, são sua árvore genealógica. Os termos da aliança que Deus fez com Abraão são estes:

'Pelo seu descendente, todas as famílias da terra serão abençoadas' ".

Atos 16.31

NVI

Eles responderam: "Creia no Senhor Jesus, e serão salvos, você e os de sua casa".

ARA

Responderam-lhe: Crê no Senhor Jesus e serás salvo, tu e tua casa.

MSG

Eles responderam: "Deposite sua inteira confiança no Senhor Jesus, e você terá a salvação e saberá o que é viver de verdade — e todos os da sua casa também!".

Bill e Beni Johnson são líderes seniores da Bethel Church em Redding, Califórnia. Na família, Bill é a quinta geração de pastores, com uma rica herança no Espírito Santo. O atual mover de Deus levou-o a entender de modo mais profundo a expressão "assim na terra como no céu". O céu é o modelo para sua vida e ministério. Bill e a família da Bethel Church assumiram esse tema para sua vida e ministério, no qual curas e milagres são normais. Ele ensina que devemos ao mundo um encontro com Deus, e que o evangelho sem poder não é o evangelho que Jesus pregou. Bill é também cofundador da Bethel School of Supernatural Ministry (BSSM).

Beni é pastora, autora e palestrante. Ela recebeu o chamado para a jubilosa obra intercessora , que faz parte integral da Bethel Church. Seu discernimento sobre estratégias para oração e seu envolvimento em redes de oração têm promovido um avanço com impacto global. Ela é apaixonada por saúde e integridade — do corpo, da alma e do espírito.

Juntos, Bill e Beni colaboram em um número crescente de igrejas que se juntaram a eles como parceiras de avivamento. Essa rede apostólica tem cruzado as linhas denominacionais e formado relacionamentos que capacitam os líderes de igreja a caminhar em pureza e poder. E, conforme Bill menciona nas páginas deste livro, o lar é o ponto de partida para causar esse tipo de impacto no mundo inteiro: "O sucesso em casa nos dá a autoridade-base para ir a qualquer outro lugar. [...] e isso começa em casa".

A meta de Bill e Beni como pais sempre foi a de criar filhos vencedores de gigantes, de forma intencional. Seus três filhos estão casados e todos, inclusive seus cônjuges, dedicam tempo integral ao ministério e deram a Bill e Beni onze netos, que também estão sendo criados segundo o potencial de vencer os gigantes da vida.
